Mo Shearmon
WHAT I HAVE TO SAY

Mo Shearmon
WHAT I HAVE TO SAY

Crìsdean MacIlleBhàin
CHRISTOPHER WHYTE

Francis
Boutle
Publishers

This bilingual edition first published by
Francis Boutle Publishers
272 Alexandra Park Road
London N22 7BG
Tel 020 8889 8087
Email: info@francisboutle.co.uk
www.francisboutle.co.uk

ISBN 978 1 7394256 0 9

Chuidich Comhairle nan Leabhraichean am foillsichear le cosgaisean an
leabhair seo.

Extracts of 'Mo Shearmon' / 'What I Have to Say' appeared in *New Writing Scotland* anthologies for 2019, 2020 and 2021, respectively *Sound of an Iceberg*, *The Last Good Year* and *Break in Case of Silence*, where the title is translated as 'The Way I Talk'.

CONTENTS

I

12   What I have to Say

II

66   'Almost always, when I start a poem'
68   The Evil in His Eyes
72   Thoughts in Úsov
78   'Each step we take brings us closer to death'
82   'I watched a man who had once been my friend'
86   'I would love to track him down, wherever'
90   To You

III

98   Café Zvezda
100   'However plentifully the ideas arrive'
102   'If I were capable of conjuring'
104   'This kinship I experience towards young people'
106   'Might she look with greater kindness'
108   'Was no one capable of seeing'
110   'One artist after another'
112   'I would rather not have been begotten'
114   'I don't know even as much about my forebears'
116   'Getting older and older, I feel like someone'
118   'It's so frustrating that I cannot write'

120   From the Author

Clàr-innse

I

13   Mo Shearmon

II

67   'Cha mhòr gach uair a thòisicheas mi dàn'
69   An t-Olc 'na Shùilean
73   Smuaintean ann an Úsov
79   'Bidh gach aon cheum a nì sinn 'na dhlùthachadh don bhàs'
83   'Fear a bha uaireigin 'na charaid agam'
87   'Bu mhiann leams' a lorg, ge b' e càite'
91   Dhutsa

III

99   Café Zvezda
101   'Air cho pailteil 's a thig na nòiseanan'
103   'Nan robh mi 'g innleachadh sreathan de dh'fhaclan'
105   'An cleamhnas seo a tha mi faireachdainn'
107   'An ann le barrachd caoimhneis a bhiodh i'
109   'Taobh thall an dèanadais a bha thu creidsinn'
111   'Ealantair a' leantainn air ealantair'
113   'B' fheàrr leam nan robh mi air mo ghineamhainn'
115   'Gun uimhir a dh'fhios agam mum shinnsirean'
117   'Fhad 's a dh'fhàsas mi nas sine, tha mi'
119   'Mo chreach-sa gun do dh'fhairtlich orm an sgrìobhadh'

121   Facal Bhon Ùghdar

I

I

WHAT I HAVE TO SAY

MO SHEARMON

What I have to say moves, streams and urges,
   rushing along like water when a storm
   has beaten on a high ridge for hours,
   seeking out every gap and notch,
   aching to descend, to be
   scattered in thousands of small,
   gleaming rivulets no obstacle
   holds back for long – where a crag
   reaches an edge, suddenly
   the water spurts
   like the hair of a giant,
   but with the same impatient gesture
   a woman has tossing
   her mass of hair to one side,
   so it descends in a waterfall
   of countless drops, powerful
   and insistent – you wouldn't think
   it was wetness at all but cords,
   unbelievably thin ropes,
   so thin a gust of wind suffices
   to dishevel them – or else
   they could be a curtain hiding
   who can tell what kind of a performance,
   comical or tragical or both –
   proceeding so fast
   you won't even get time
   to form a question in your mind,
   you'll have to put your skates on
   if you want to catch up with

What I have to say, like an endlessly
   melancholy Glasgow day, the rain showers
   falling and falling, you would think
   it could be interesting or varied

Mo shearmon siùbhlach struthlach deifreach,
  'na ruith gu cabhagach mar an t-uisge
  an dèidh da dhoineann bualadh air bearradh àrd
  fad uairean, 's e sireadh gach beàirn is sgoir,
  dèin' air a bhith tèarnadh, a bhith
  sgaoilte ann am mìltean de chuisleannan
  beaga, drillseanach, nach cuir cnap-starra
  bacadh fada orra – far an tig stac gu oir,
  bidh an t-uisge gu h-obann a' stealladh
  mar gum b' e falt fuamhair a bh' ann,
  ach leis a' cheart ghluasad mhì-fhoighidneach
  a bhios aig boireannach 's i tilgeil
  a pailteas chiabhan ri taobh
  a thuiteam 'nan eas dhe bhoinnean
  do-àireamh, làidir, leanmhainneach –
  theireadh tu nach fhliuiche idir a bh' ann
  ach sreangan, ròpannan anabarrach tana,
  cho tana 's gum bi sèideadh beag gaoith
  a' fòghnadh gus an toirt às a chèile –
  no dh'fhaodadh iad a bhith
  'nan cùirtear a tha ceiltinn
  chan eil dòigh air nochdadh
  ciod e 'n seòrsa thaisbeanadh,
  am mireagach no gruamach no co-measgt' –
  mo shearmon a shiùbhlas cho grad
  's nach bi gu lèor a dh'ùin' agad
  airson freagairt a chruthachadh nad inntinn,
  feumaidh greas a bhith ort
  ma tha thu ag iarraidh a ghlacadh!

Mo shearmon mar latha tiamhaidh fadalach ann an Glaschu
  agus na frasan a' tuiteam is a' tuiteam,
    bhiodh dùil agad gum biodh sin inntinneach no caochlaideach
    ach tha marbhantachd san taisbeanadh

but the spectacle has something deathly about it
that would set anybody
looking for gentler climes,
for a world that's not as grey and dreary
as this one is, a world
where the whole gamut of colours
would be displayed –
the very oceans must have dried out
with the quantity of water that pours down
no hint of lessening or intermission –
all a sudden you imagine it's stopped,
that heavy percussion like drumming on the leaves
bringing news that summer has arrived –
as you look around the weather
seems calmer and quieter, you glance
out of the window, ready to swear
that the downpour has come to an end –
but you see that you're wrong,
if you look more closely
you notice a sort of mistiness in the air
which is not real mist, but a mild
and gentle dampness still descending,
it hasn't stopped raining at all!

What I have to say, which those who are in authority,
who decide what is right and what is wrong,
what you can do and what you cannot,
what words mean together with
the order in which they are to
be put together, who control the meaning
of expressions too, and how
they are to be explained in dictionaries,
which are the subjects it is permitted
to talk about in decent society

a chuireadh neach sam bith
ri speuran nas coibhneil' a shireadh,
saoghal nach eil liath is glas a-mhàin
mar a thachras leis an fhear seo,
saoghal far am biodh na dathan gu lèir
a' nochdadh 'nan làn-iomadachd –
shaoileadh tu na cuantan a bhith air am falmhachadh
leis na tha de dh'uisge air dòrtadh
gun eadar-dhàil no lughdachadh ach
a chlisge creididh tu gun do sguir e,
am bualadh trom mar dhrumaireachd air na duilleagan
a thug an naidheachd an samhradh a bhith air tighinn
gu Glaschu aig a' cheann thall –
mun cuairt ort tha 'n aimsir a' fàs
nas ciùine, tostaiche, seallaidh tu
a-mach bhon uinneig, 's tu deiseil ri bòideachadh
gun tàinig stad air tuil nan tuil a bh' ann –
ach chì thu gu bheil thu ceàrr,
ma nì thu sgrùdadh nas gèire
mothaichear do sheòrsa ceò san adhar
nach eil 'na cheò fìor,
tha driùchd mhaoth shèimh a' tighinn a-nuas fhathast,
cha do sguir an t-uisge idir!

Mo shearmon a b' àill leis a' chuid aig a bheil ùghdarras
a shònraicheas dè tha ceàrr is dè tha ceart
dè ghabhas a dhèanamh is dè nach gabh,
na tha na faclan a' ciallachadh
còmhla ris an òrdugh anns am bu chòir
dhaibh a bhith a' nochdadh, a riaghlas
brìgh nan gnàthasan-cainnte cuideachd
's mar a thèid an soilleireachadh anns na faclairean,
ciod e na cuspairean a tha e ceadaichte
bruidhinn mun deidhinn ann an comann deasanta

and which it is better never to mention,
which parts of the body we are allowed to name
and which we aren't, although they are there
and we use them over and over again
which surely can never be a reason
for any person to feel ashamed or offended –
they would prefer what I have to say
never to start, or else to break off quickly!

What I have to say, so strange and innovative
Gaelic will have to look out the fastest,
most agile sandals it has and start
scampering after helter skelter
to find out what is going to happen, what is going
to become of it, seeing I go about things
in such a volatile and inconsistent way
it's impossible to predict anything in advance,
forecasts and precautions have no meaning –
this poor language will enter into panic!

What I have to say, like the girl on the tram yesterday
handling her mobile phone so skilfully
and naturally you'd say it had turned into
a part of her own body
like her elbow or her little finger –
or like the gleaming ring
hanging out of the end of her nose –
though in this case, to tell the truth,
there wasn't any ring at all – she was
neatly turned out and attractive, talking
on and on without a single pause or hesitation –
it made me think how good it would be
if you could sign up for an evening class
where an ordinary person such as myself

's a' chuid a b' fheàrr nach bruidhnte orra idir,
ciod iad buill ar colainnean a bu chòir an ainmeachadh
's a' chuid nach bu chòir, ged a tha iad ann
is ged a bhios sinn gan cleachdadh uair is a-rithist
's nach bu chòir san fhìrinneachd gun robh siud
'na chion-fàth nàire no maslaidh aig neach sam bith –
a b' àill leotha mo shearmon a bhith gun tòiseachadh idir
agus, ma thòisich, gun robh mis' a' sgur dheth air ball!

Mo shearmon a tha cho annasach nua-fhasanta
    's gum bi èiginn air a' Ghàidhlig
    a cuarain as cliste 's as luaithe thoirt a-mach
    is ruith gu bras air a ceann dìreach 'na mo dhèidh,
    a dh'fhaicinn dè tha dol a thachairt,
    dè tha dol a dh'fhàs aiste
    agus modh-obrach cho mùiteach sgaogach agam
    nach ro-aithnichear càil, tha gach
    earalas no ro-aithris gun stàth,
    thig maoim air a' chànan bhochd seo!

Mo shearmon mar an nighean a chunnaic mi air an tram' a-raoir
    a bha a' dèiligeadh ri fòn-làimh
    air dòigh cho sgileil, nàdarra – theireadh tu
    gun do dh'fhàs e 'na roinn de bodhaig fhèin,
    mar a h-uileann no a cuisteag –
    air neo mar an fhàinne bhoillsgeach
    a bha crochadh bho bhun a sròine –
    ach san dol-a-mach seo, ris an fhìrinn innse,
    cha robh fàinne idir ann, is i
    'na nighinn shnasmhoir riamhaich, a' bruidhinn
    's a' bruidhinn gun sheasachas no sòradh –
    bha mis' a' fèorachadh dhìom fhìn
    nach robh math dh'fhaodte cùrsa-feasgair ann
    far am b' urrainn do dhuine cumanta mar mise

could learn to talk the way she did –
the students would do exercises where they
had to speak for two, or five, or ten
minutes without stopping – you wouldn't be
allowed to talk nonsense, your sentences
would have to possess meaning and content –
besides which, they would learn how
not to pay the slightest bit of attention
to the people around them, but continue
talking to someone whose face and eyes
they couldn't see, sometimes even without
hearing more than scattered bits and pieces
of what they were saying, you wouldn't be allowed
to break off, you'd have to bring the whole business
to a conclusion without forgetting which tram stop
you were supposed to be getting off at,
otherwise you'd risk coming to your senses
in an unknown part of the city you never set foot in
all your life, and be forced to get on a different tram
travelling in the opposite direction –
but nothing could deter that girl, she just
kept on talking, contented and pleased with herself

What I have to say, devoid of morals or edification,
    with not a trace of religion or didactics,
    not seeking any support from a chapter
    or short text in the Bible, proceeding
    steadily on its own two feet without
    looking for permission from anyone in the world,
    not seeking justification or pardon
    from any known conscience or creed

What I have to say like a little hunched goblin
    who somehow managed to get

ionnsachadh a bhruidhinn air an dòigh sin –
bhiodh na h-oileanaich a' dèanamh eacarsaichean
's iad ri còmhradh airson dà mhionaid, còig mionaidean,
deich mionaidean gun stad – cha bhiodh e ceadaichte
amaideas a ràdh, dh'fheumadh ciall
is stàth bhith aig do sheantansan,
a bharrachd air sin, bhiodh tu ag ionnsachadh
mar nach toirear aire sam bith don t-saoghal mun cuairt
's tu dol air adhart a' bruidhinn le cuideigin
nach fhaicear leat a thuar no a shùilean,
aig amannan gun chluinntinn
ach sprùilleach briste de na thathar ag innse dhut –
ach chan fhaodadh tu sgur dheth,
dh'fheumadh tu a' cheàrd gu lèir a thoirt gu buil
gun dìochuimhneachadh càit' am bu chòir dhut
teàrnadh às an tram, air neo bhiodh tu a' tilleadh
gu fèin-fhios ann an ceàrn dhen bhaile nach b' aithne dhut,
far nach tug thu aon cheum 'na do bheatha
is dh'fheumadh tu streap suas air tram' eile
anns an t-seòladh mu choinneamh –
ach cha robh càil sam bith a' cur dragh air an nighinn ud,
's i dol air adhart a' bruidhinn gu sàmhach, sàsaichte

Mo shearmon aig nach eil moraltachd no oileanachd idir
    gun sanas ann air cràbhachd no teagasg,
    nach eil a' faighinn taice bho aon chaibidil
     no teacsa goirid dhen Bhìoball, a dh'imicheas
    gu cunbhalach air a dhà chois fhèin
    gun chead a shireadh bho neach san t-saoghal
    gun fhìrinneachadh no mathadh fhaighinn
    bho chogais no bho chreideamh aithnichte

Mo shearmon a tha mar bhòcan beag crùbte
    a gheibh a-steach do chùbaid

into the pulpit where no one else
but the minister has any right to go,
wearing the minister's fine, official garb
and looking very like him
even if the congregation have the feeling
he sort of shrank –
the minister generally looked
that little bit taller – the goblin also
got hold of a wig he pushed
down onto his head, because everyone knows
goblins have shaggy, unkempt hair
such as the minister's would never be
when he appears in church on a Sunday
and, as soon as the goblin starts talking,
nothing but senseless drivel
comes from his scabby lips
seeing goblins are incapable of speaking
any human language whatsoever
unless under a particular spell –
and how could a heathen spell
work in church on a Sunday? –
at that very moment, the minister
appears in the midst of the congregation
naked as on the day he entered the world,
he runs and runs out of the church
up onto the hill close by
terrified that the whole shire will see
how withered and uncoordinated his body is
and besides that, the smallness of his ——
(*one word has been crossed out*)
but however nimbly and speedily
the minister sprints towards the wood
on the far side of the hill, overcome
with melancholy because he knows

nach bu chòir neach eile seach am ministear
a bhith 'na sheasamh innte,
le aodach sìobhalta, oifigeil a' mhinisteir air,
tha e sealltainn dìreach coltach ris
ged a smaoinicheas an coithional
gu bheil e mar gum b' ann air seargadh –
b' àbhaist don mhinistear a bhith coimhead
beagan na b' àirde – agus fhuair
am bòcan gruag bhreugach a dhinn e
sìos air a cheann, bhon a tha fhios ann
falt nam bòcan a bhith cleiteagach, pràbhach
mar nach biodh riamh falt a' mhinisteir
's e nochdadh anns an eaglais air Didòmhnaich
agus, san tiota a thòisicheas am bòcan a' bruidhinn,
cha bhi ach treamsgal gun chèill
a' sileadh a-mach bho bhilean sgabach
do bhrìgh 's nach eil na bòcain
eòlach air aon chànan daonnda
ach draoidheachd shònraichte a bhith orra –
is ciamar a dh'fhaodadh draoidheachd phàganach
a bhith èifeachdach san eaglais air Didòmhnaich? –
san tiota seo, nochdaidh am ministear
am measg a' choithional
gun aon chòmhdach air a chom
rùisgte mar san latha a thàinig e dhan t-saoghal
agus bidh e a' ruith 's a' ruith às an eaglais
suas air a' chnoc a tha faisg oirre
fo mhaoim gum faic an sgìreachd uile
cho crìonach neo-theòma 's a tha a cholann
's a bharrachd air sin cho beag 's a tha a ——
(*aon fhacal air a dhubhadh às an seo*)
ach air cho clis, grad-shiùbhlach 's a bhios am ministear
a' ruith dh'ionnsaigh na coille taobh eil' a' chnuic,
fo ionndrainn do bhrìgh 's gu bheil e cinnteach

only too well he's not going to discover
a pair of trousers or underpants tidily
hanging on the branch of a birch tree
or an ash, the way they usually hang
in the spacious cupboard
of his comfortable home –
meanwhile the goblin chunters on determinedly,
more and more rubbish coming out of his mouth,
he had no idea he was such a splendid orator,
the congregation is getting a bit restless,
every now and then the minister
would have a bad day, the things
he used to say weren't always
reasonable or logical, at times
it was extremely difficult
to grasp what he might be getting at
or extract any worthwhile meaning from his preaching
but today he has really lost the place –
the poor minister is wondering
if maybe he ought to dive into the loch
tremendously cold as the water will be,
he'll have to swim to the shore in the end
and hand himself over – however helter-skelter,
headlong the panicking minister is
shooting onwards like an arrow in flight,
he'll never match the speed of

What I have to say, at times
   like a shy deer you only catch a glimpse of
   through the foliage, because
  it is so withdrawn and private
  and then, without warning, you see it
  climbing up the braeside
  and you tell yourself it could be

nach bi e tachairt ri drathais no briogais
air an crochadh gu dòigheil air geug beithe
no sgithich, mar as àbhaist dhaibh bhith crochte
ann am preas-aodaich farsaing
san dachaigh chofhurtail aige –
aig a' cheart àm, bidh am bòcan
a' leantainn air gu socraichte
treamsgal an dèidh treamsgail a' tighinn bho bheul
cha robh fhios aige idir e fhèin a bhith
cho sgileil anns an òraideireachd,
tha 'n coithional a' fàs caran an-fhoiseil
b' àbhaist droch latha no dhà a bhith aig a' mhinistear
cha bhiodh e an còmhnaidh ag ràdh
rudan reusanta no loidigeach
aig amannan bhiodh e doirbh dha-rìribh
aomadh no brìgh a shoisgeulachd a ghlacadh
no aon seagh a b' fhiachail a tharraing a-mach aiste
ach an-diugh tha e dìreach air a chuthach –
bidh am ministear bochd a' faighneachd dheth fhèin
am bu chòir dha, 's dòcha, dàibheadh dhan lochan
ach tha uisgeachan an lochain uamhasach fionnar
b' fheudar dha snàmh gu tìr is a liubhairt fhèin
mu dheireadh thall – air cho bun-os-cionn,
dian, clisgeach 's a bhios am ministear fo oillt
a' saigheadh air adhart 'na dheann-ruith,
cha ruig e 'm feast' an luathas a th' aig

Mo shearmon a bhios uaireannan mar fhiadh sgeunach
    nach fhaicear ach plathadh dheth am measg nan duilleagan
  leis cho meata prìobhaideach 's a tha e
  agus an uair sin, gun rabhadh idir, mothaichidh tu dha
  a' streap suas air a' bhràighe
  is smaoinichidh tu gum faodadh sin a bhith
  'na aisling bhon a tha am fiadh cho mòrail,

a vision because its movements
are so majestic, kingly, consummate
all of its limbs working together
as if it were flying rather than running,
and you wonder if it might be better
for it to be a vision, because then
there would be no way or possibility
for harm or malice to reach it,
the deer would be inaccessible, invulnerable
like whatever the imagination produces
or something we see in a dream,
perfect, well-formed, invincible –
and you say to yourself:
"I don't believe in any kind of a god,
I am neither a Christian nor a Muslim,
I don't support any of the old doctrines
about a venerable, violent old man
or the commandments he wrote down
for us to follow,
or the eternal punishment
waiting on us
if we are not sufficiently obedient" –
but you also say that maybe this
was how God himself felt
after making a creature of flesh and blood
to set down somewhere in the world –

What I have to say, on other days like a squirrel,
    not the grey, aggressive sort
    that arrived here in recent centuries
    but a red one like in the old times
    rushing along, its tail forming
    innumerable elegant arabesques,
    you could easily believe

rìoghail, coileanta 'na mhosgladh
gach ball dheth a' co-obrachadh le chèile
mar gun robh e 'g itealaich an àit' a bhith siubhal,
creididh tu cuideachd gum b' fheàrr math dh'fhaodte
nach robh sin ach 'na aisling bho nach biodh
modh no inneal ann an uair sin
beud no aimhleas a bhith beantainn dha,
bhiodh e do-ruighinn do-leònadh do-chiùrradh
mar gach rud a chruthaich mac-meanmna
no a thugadh dhuinn ann am bruadar,
cho iomlan, cuimir, do-chlaoidheadh –
agus their thusa riut fhèin:
"Chan eil mise creidsinn ann an Dia sam bith,
chan e Crìosdaidh no Muslamach a th' annam,
cha bhi mi toirt mo thaic
do ghin de na seann-teagasgan
mu bhodach aosta, fòirneartach
no mu na h-àitheantan a sgrìobh e
gu bhith gan leantainn leinn
no mu na peanasan sìorraidh
a tha a' feitheamh oirnn
mur a bi sinn strìochdail gu leòr" –
ach their thu cuideachd gur dòcha sin
am faireachdainn a bhiodh aig Dia fhèin
an uair a chruthaich e creutair ùr de fheòl 's de fhuil
gu bhith ga shuidheachadh am bad àraidh dhen t-saoghal

Mo shearmon a bhios air làithean eile mar fheòraig,
    chan ann dhen t-seòrsa liath, ionnsaigheach
    a thàinig oirnn sna linntean mu dheireadh
    ach feòrag ruadh mar san àrsaidheachd
    cabhag oirre is a h-earball a' dèanamh araibeasgan
    do-àireamh gràsta, b' fhurasta creidsinn
    gur e dannsa no dòigh air cluiche a th' ann,

25

this was a dance or a game, that its tail
is a pen it uses for shorthand, setting down
everything it reflects on or notices
and if instead of running the squirrel
were swimming, moving through water rather than
through the air, you would say
its skilful shapechanging tail
was a tiller it uses to steer
its gracious and pliable body

What I have to say, without anybody knowing
how long it is going to go on for
maybe until Scotland at last
becomes independent, and:
"Tell me! You who have the right
to enter that little cubicle and put
a cross next to the politics you favour
however courageous or craven you may be!!
How many years still need to pass
before that longed for day arrives?"

What I have to say, like when my grandmother
was already very old, and came
to stay in my parents' house,
sleeping on the big couch
in the sitting-room, and refused
absolutely to close the door
because she got a little bit restless
anywhere that was cramped and enclosed,
besides which she was always afraid
of ghosts, nobody had ever
seen a ghost in the house,
but maybe she believed her own ghosts
were capable of following her

gur peann a tha san earball leis an dèan i
sgrìobhadh bras, a' cur sìos
gach cnuasachd no mothachadh a thig oirre,
agus nan robh an fheòrag
a' snàmh an àit' a bhith a' ruith,
a' siubhal tro uisge 's nach ann tron adhar,
theireadh tu gur e ailm a bha
'na h-earball sgileil iomachruthach
is i ga chleachdadh gus a bodhaig
fhoinneamh, so-lùibte a stiùireadh

Mo shearmon gun fhios dè cho fada 's a tha e dol a bhith
    's dòcha gun lean mi orm
    gus am faigh Alba neo-eisimeileachd
    aig a' cheann thall agus
    "Abraibh rium! Sibhse aig a bheil
    dlighe air inntreachdainn sa bhùth bheag is crois
    a chur sìos ri taobh na beachd as fheàrr leibh
    eadar 's gu bheil sibh gealtach no dàna!!
    Ciod e an àireamh bhliadhnaichean a thraoghas
    mus tig an latha miannaichte sin?"

Mo shearmon mar mo sheanmhair nuair a bha i uamhasach aosta
    is a thigeadh i air aoigheachd
    ann an taigh mo phàrantan
    agus bhiodh i a' cadal air a' chùiste mhòir
    anns an t-seòmar-chòmhnaidh
    agus dhiùltadh i buileach an doras a dhùnadh
    bhon a bha i car mì-fhoisneach anns gach àite
    a dh'fhairich i a bhith teann is dinnte
    is a bharrachd air sin bha eagal oirre
    daonnan ro na taibhsean, chan fhacas taibhse riamh
    anns an taigh le neach sam bith
    ach is dòcha gun do chreid i

wherever she went – with the door
open you could hear loud and clear
the monstrous, horrendously noisy
way she snored – you'd think
they'd started digging up the road
in front of the building with the incredibly
huge machines they use these days,
or else that enemy air force
planes had suddenly arrived
to bomb the city – we were all
at our wits' end, adults and children
equally convinced they'd not get
a wink of sleep the whole night
but then somebody would start
laughing and little by little
nobody could resist,
we were all laughing, and fell asleep
without realising how it came about
and in the morning, eating
our breakfast, all that was needed
was for one of us to look
another in the eye, and the laughter
came back, and the old woman kept asking
what was the joke we were sharing
and not telling, keeping it
hidden from her, and after
she went back home, the game
we played in bed was to see
who could do the best imitation
of the terrifying din that emerged
from granny's little nose while she was sleeping

gum b' urrainn dha na taibhsean aice fhèin
a leantainn anns gach ceàrn san robh i dol
's mar sin, leis an doras fosgailte,
chualas gu soilleir àrd an t-srannail
oillteil, mhaoimeach a dhèanadh i –
smaoinicheadh tu gun do thòisich iad
a' cladhach suas uachdar na sràide
dìreach fa chomhair an togalaich
leis na h-innleachdan anabarrach mòr
a bhios iad 'g ùisneacheadh an-diugh,
air neo gu robh plèanaichean ar nàmhaid
air tighinn gun rabhadh a bhomaigeadh a' bhaile –
bha sinn uile fo àmhghar,
na h-inbhich is a' chlann gun dòchas
air mionaid cadail fhaighinn fad na h-oidhche,
ach an uair sin thòisicheadh cuideigin a' gàireachdaich
agus beag air bheag cha b' urrainn da h-uile duine
ach gàir' a dhèanamh, thuit gach aon 'na chadal
gun fhiost' air mar a bha sin a' tachairt
agus sa mhadainn, a' gabhail ar bracaist,
bha e gu leòr fear dhinn an sealladh
ann an sùilean fir eile a ghlacadh
is bhiodh an gàireachdaich a' tilleadh
agus dh'fheòraicheadh a' chailleach
gu dè an spòrs a bh' againn uile
's e ga cheiltinn bhuaipe
ach cha do dh'innis sinn idir
agus, an dèidh dhi dol dhachaigh,
sna leapannan, b' e an spòrs cò dhèanadh
an atharrais a b' fheàrr air an torranach
uamhasach a thigeadh a-mach
bhon t-sròin bhig aig granaidh 's i 'na cadal

What I have to say, like that tight knot you can feel
in an unspecified place in your chest
without even realising these are tears
you cannot catch hold of that urgent prompting
till the moment in which a thought, something you see
or a fragment of song or poetry unties the knot –
at that point you understand you have work to do
but the understanding doesn't matter so much
because release arrives like a sudden jump
like the ground rushing in the blinking of an eye
towards someone who jumped off a high perch
or threw himself out of a window –
what's in store for you isn't a savage impact
or destruction, but sudden, gentle, unexpected
soothing, its very softness makes you want to cry
you hide your face in both your hands and
your nose gets stuffed up with mucus, though
you don't have a cold, no, not that at all

What I have to say, sometimes like
a capacious spreading blanket
with lots of folds whose cover
welcomes all those needing protection
like the blanket a woman
friend of mine born in Naples
saw, she worked visiting
poor people to offer them
whatever support and help
was available, but her particular
responsibility was trying
to make sure all the children
turned up each day at school
where they were obliged to go
after reaching the appropriate age –

Mo shearmon a tha mar an t-snaidhm theann a dh'fhairicheas tu
    ann am bad neo-shònraichte de d' uchd,
     's cha bhi thu eadhon a' tuigsinn gur deòir a th' ann
     chan fhaigh thu grèim air an spreigeadh dheatamach ud
     gus a' mhòmaid san dèan smuain, sealladh, no spealg
     de dhàn no cheòl an snaidhm fhuasgladh –
     tuigidh tu 'n uair sin gu bheil obair agad ri dhèanamh
     ach cha bhi 'n tuigsinn cho cudromach
     bhon a bhios an dì-nasgadh gad ruighinn le dudar-leum
     mar an talamh a' dlùthachadh am priobadh na sùla
     ri neach a' tuiteam bho spiris àrd
     no a th' air e fhèin a thilgeil bho uinneig –
     cha bhi brùid-bheum no milleadh a' feitheamh ort
     ach furtachd obann, chaoin, neo-dheasaichte
     bidh a' mhaoith' ud fhèin na h-adhbhar dheur
     is tu a' ceiltinn d' aodainn 'na do dhà làimh
     do shròn air a dinneadh le smugaid, ged nach eil
     an cnatan ort, chan eil gu dearbh

Mo shearmon a bhios uaireannan 'na phlangaid
    luchdail sprèideach 's iomadh preas 'na meadhan
    a chòmhdaicheas gu fàilteachail na thig fo dìon
    coltach ris a' phlangaid a chunnaic bana-charaid agam
    a rugadh ann an Naples agus a bha ag obair
    ann an sin a' tadhal air na daoine bochd
    gus gach cobhair is taic a ghabhadh
    a thairgsinn 's a sholarachadh dhaibh
    ach b' e an cùram sònraichte aice
    feuchainn nach b' urrainn do na pàistean uile
    nochdadh anns an sgoil choitchinn
    far am b' fheudar do gach neach a dhol
    nuair a ruigeadh e 'n aois fhreagarrach –
    thuirt ise rium nach fhaca i a-riamh
    taigh cho bochd, daibhir, ainniseach

she told me she had never
seen such a poor, destitute,
deprived home, practically
the only furnishing they had
was the huge blanket, numerous
children huddling underneath it
together with their mother, no sign
of a father or fathers, and mice
running backwards and forwards
between the folds of the blanket,
without the children paying
the slightest bit of attention
to that veritable zoo surrounding them –
their mother earned enough money
to buy food and drink
for everyone there reading off
the future from brilliantly coloured
ancient cards decorated with images
which were also kept under the blanket –
she asked my friend
if she would like to know
what was going to happen in the months ahead,
she didn't want any payment,
it was merely in order to show
how delighted it made her having
a guest there in their home,
my friend said that wasn't
what she had come for, and immediately
the mother asked if she wouldn't
enjoy drinking some strong black coffee together,
the coffee she had was excellently flavoured
but my friend was wondering fearfully
what sort of tiny beasties might make their home
in the coffee-pot in a household of that sort,

dh'fhaodadh a ràdh nach robh àirneis eile ann
seach a' phlangaid ana-mhòr, àireamh gun fhios
de chloinn bhig gan cruinneachadh foipe
còmhla ri am màthair, gun lorg ann
air athair no athraichean, agus na luchan
a' tighinn 's a' teicheadh 's a' ruith
measg filltean na plangaid gun a' chlann
a bhith toirt an aire as lugha
do ghàrradh nam beathaichean a bh' ann an sin –
bhiodh am màthair a' cosnadh na dh'fhòghnadh
gu biadh is deoch a cheannach dhaibh uile
's i leughadh naidheachdan an ama ri teachd
bho chairtean àrsaidh iomadhathte,
sgeadaichte le dreachan samhlachail
a bha gan glèidheadh cuideachd fon phlangaid,
dh'fhaighnich i dhen bhana-charaid agam
nach bu mhiann leatha faighinn a-mach
dè bha dol a thachairt sna mìosan ri tighinn
cha robh i ag iarraidh airgid,
bha sin a-mhàin 'na dhearbhadh air dè
cho toilichte 's a bha i aoigh a bhith aca san taigh –
thuirt mo bhana-charaid nach ann a thaobh sin
a thàinig ise, agus gun dàil
dh'fhaighnich a' mhàthair nach biodh i 'g iarraidh
cofaidh dubh làidir a ghabhail còmhla,
bha cofaidh anabarrach blasta aice
ach bha mo bhana-charaid fo eagal 's i smaoineachadh
ciod e an seòrsa mheanbh-bhiastagan
a dh'fhaodadh a bhith fuireachd ann an inneal-chofaidh
ann an taigheadas mar sin,
dh'innis i cuideachd dhomh
gun robh e mìorbhaileach an dòigh chùirteil
ghaolach air an robh a' mhathair a' bruidhinn
ris an t-sìol gu lèir a bh' aice

she also told me how marvellously polite
and loving the way the mother
addressed all of her offspring was,
not to mention the affection and respect
in the children's eyes when they looked
at her, ready to follow her instructions,
to carry out every order she gave –
that was very different from the day
she learned after it happened that a mother
had come to the building where she had her office
carrying a pistol hidden in her handbag
planning to fire it at my friend because
she was convinced the only child she had
was going to be taken away from her
and she wouldn't see him again for the rest of her life

What I have to say, so extensive and spacious
    it can offer room, as with that spreading
    blanket in Naples (I don't mean
    to attack them at all, I'm not comparing them
    to disgusting, nimble little vermin that
    are hard to catch) even to my critics –
    what an exhausting and thankless
    task is theirs, constantly hunting
    for all the faults and defects
    in a book or a poem, knowing full well
    that they understand what was in
    the author's mind, his intentions
    when he started writing, far better
    than the poor author himself
    and that they could have carried out
    the whole project and brought it
    to completion in a far more
    beautiful, shapely and expert way

agus an coibhneas is an t-urram
leis an sealladh a clann oirre,
's iad deiseil ri gach facal a thuirt i
a leantainn, ris gach òrdugh a choileanadh –
cha b' ionnan sin ri latha eile
mar a chualas leatha 'n dèidh làimhe
nuair a thàinig màthair dhan togalach
san robh an oifig aic' le daga
falaichte 'na baga-làimhe
agus rùn aice a bhith losgadh
air mo bhana-charaid on a bha i creidsinn
gu robh 'n aon phàiste a bh' aice
a' dol a bhith ga thoirt air falbh
's nach dèanadh i fhaicinn
uair eile gu ceann a beatha

Mo shearmon a tha cho farsaing fàilteachail
's gum bi àit' ann, mar fon phlangaid
sprèidich sin an Naples (ach chan eil
mi 'g iarraidh an càineadh idir, no ag ràdh
gur luchan bearraideach sgreamhail,
doirbh an glacadh a th' annta)
airson nan sgrùdair agam – nach sgìtheil
mì-thaingeil an dreuchd a th' aca! 's iad
a' sìor rannsachadh gach easbhaidh is croin
ann an dàn no ann an leabhar,
fhios againn uile gu bheil iad a' tuigsinn
na bha ann an inntinn an ùghdair, na bha e
'g amas air nuair a thoisich e air sgrìobhadh
fada nas fheàrr na 'n t-ùghdar bochd fhèin
agus gum biodh iad air an oidhirp gu lèir
a choileanadh 's a thoirt gu buil air dòigh
mòran na bu mhaisiche, rìomhaiche, abalt'
ach ùine gu leòr a bhith aca

if only they had sufficient time,
seeing they are always
so busy evaluating and judging
what other people have written –
I think it will come as an absolutely
wonderful surprise for them
to find themselves already included
in a piece they haven't had the chance
to see yet, rather than providing
a pitiful little afterword to be published
in a newspaper or some magazine or other –
Hector, for example, who once told me
(the pronouncements of my critics
are transcribed in English here,
given that generally it's the only
language they use, even when dealing
with Gaelic texts, if the truth be told,
the greater part of them can't
speak anything other than English,
but they don't consider that
an obstacle or a limitation – so many
critics were thoroughly grateful to Sorley
because he put practically every
poem he wrote into English, permitting
many an expert and scholar
who didn't have the faintest notion
of Gaelic to proclaim out loud,
deafeningly a verdict on
his poetry, concluding, who
is to say? that the poet could have
saved himself an immense amount
of trouble by making a leap forward,
and writing down each prompt
he got from the Muse in English in the first place –

bhon a tha iad an còmhnaidh cho trang
a' luachadh 's a' toirt binn
air saothraichean dhaoine eile –
saoilidh mi gum bi e 'na iongantas
anabarrach tlachdmhor dhaibh
faighinn a-mach gu bheil iad a' nochdadh
mar-thà ann an obair nach d' fhuair iad
cothrom a leughadh thuige seo, an àit'
a bhith sgrìobhadh earr-ràdh bhig thruaghanta
a thèid a chlò-bhualadh ann am pàipear-naidheachd
no ann an iris air choreigin – Eachann, mar eisempleir,
a tha air cantainn rium a-cheana
(bidh na beachdan aig na sgrùdairean agam
air an copaigeadh an seo sa Bheurla
bhon as àbhaist dhaibh an cur an cèill
sa chànan sin a-mhàin, neo-ar-thaing
gur ann ri teacsa sgrìobhte anns a' Ghàidhlig
a bhios iad a' dèiligeadh – ris an fhìrinn innse,
cha bhi mar as trice cànan eile
seach a' Bheurla aca, chan fhaic iad
cnap-starra no cuibhreachadh ann an sin –
bha cuid mhòr dhe sgrùdairean uamhasach taingeil
gun do theab Somhairle Beurla a chur
air gach uile dàn a rinn e
agus iomadh sgoilear is fear-teòma
nach tuigear dad sa Ghàidhlig leis
a' glaodhaich gu h-àrd is buaireanta
am beachd a bh' aig' air a bhàrdachd,
's iad a' smaoineachadh, cò aig a bheil fhios?
gum b' urrainn don bhàrd a' chuid a bu mhotha
de spàirn a sheachnadh nan robh e
air leum a dhèanamh air adhart, is gach aon
spreigeadh a thàinig air bhon Cheòlraidh
a chur sìos sa Bheurla anns a' chiad àite –

would that not have been far more sensible?
Many younger poets, imagining
that Sorley's mantle fell out of the skies
directly onto their own shoulders,
the minute they finish a poem in Gaelic
cannot wait to put it into English
without being sure which of the two
they ought to be more proud of)
take Hector, he's bound to say
another time "You've got
such an astonishingly puerile
sense of humour" – and the famed, venerable
professor who announced in a radio programme
on George Campbell Hay's poetry
"Nobody can write poetry
in a language he didn't dream in as a child",
tossing like that into the wastepaper basket
all the poems Hay wrote in Gaelic
though from one end of his life
to the other the professor cannot read
a single line of them,
regarding me, I'm sure he'll come out
with the same opinion – that sort of people
do without evidence or research,
no need of either, their opinions remain
just as steadfast and unchanging –
and Big Charlie, who was so diligent and productive rewriting
the works of Alexander MacDonald
and Duncan Bàn without having even
a basic grasp of Gaelic, as he so disarmingly
admitted – who could hesitate to praise
without scruple such admirable, forthright
honesty – what is he going to say? Might he put
this poem into English as well, without understanding

nach biodh sin fada na bu reusanta? –
tha iomadh bàrd nas òig' ann a chreideas
gur ann air an guailnean fhèin a theirinn
tonnag Shomhairle 's e tuiteam bho na speuran –
cho luath is a bhios dàn Gàidhlig crìochnaicht'
bidh cabhag orra a thionndadh chun na Beurla
gun a bhith cinnteach ciod am fear
de na dhà a b' fheàrr a shoirbhich leotha)
chan eil teagamh ann, their Eachann uair eile
You've got such an astonishingly
puerile sense of humour –
agus am proifeasar iomraiteach, cliùiteach
a thuirt air an rèidio, ann am prògram
mu dheidhinn bàrdachd Dheòrsa Mhic Iain Dheòrsa
Nobody can write poetry
in a language he didn't dream in as a child
a' tilgeil mar sin dhan sgùileach
a h-uile dàin a sgrìobh Deòrsa sa Ghàidhlig
ged nach b' urrainn dha aon loidhne dhiubh
a leughadh fad a bheatha,
bidh e 'g aithris an aon bheachd 'nam chàs,
tha mi cinnteach – chan eil feum aig an fheadhainn sin
air dearbhadh no rannsachadh sam bith,
is am barail a' mairsinn stèidhichte
cunbhalach às an eugmhais –
ach Teàrlach Mòr, a bha dripeil, torrach
'g ath-sgrìobhadh bàrdachd Mhic Mhaighstir Alastair
no Dhonnchaidh Bhàin gun eòlas aige
eadhon air facal Gàidhlig, mar a dh'aidich e
gun nàire – nach bu chòir fosgarrachd
cho ionmholta onarach a bhith molta
gun aon sgrubal? – dè tha e dol a ràdh?
an dèan e tionndadh Beurla air an dàn seo cuideachd
gun seantans no briathar dheth thuigsinn,

a phrase or a sentence of it, not concerned
in the slightest as to meaning or content,
adding, as he did already with the work
of far more important authors, new passages
I never wrote and have no intention of writing?

What I have to say, which no editor
    of a magazine, quarterly or annual
    anthology is going to like, not just
        because it goes on for such
        a long time but because it touches
    too often on topics like sex
    and the pleasures of the flesh –
    "Certain things exist," they will say
    "which every person has to deal with
    at a particular stage of the day,
    or the week, or the year,
    or once every two, or three, or five
    years that pass by – how often
    they do it isn't what matters – what
    need is there to keep coming back
    again and again to that one subject
    when there are so many others around
    infinitely more appropriate
    for an extended poem?" – others perhaps
    will worry readers may suspect
    somebody they know lies hidden
    behind the characters in this poem –
    "Now take the goblin, for example!"
    they will ask, "that ill-shaped creature
    who steals the minister's place
    for a while, who were you trying
    to get at with the goblin?
    We wouldn't want to find ourselves sitting

gun dragh sam bith thaobh brìgh no seagh,
's e cur ris, mar a rinn e a-cheana
le obraichean ùghdaran mòran nas cudromaiche
earrannan nuadha nach do sgrìobh mi riamh
's nach sgrìobhar leams' a-chaoidh?

Mo shearmon nach bi a' còrdadh ri fear-deasachadh
    iris, ràitheachain no co-chruinneachaidh bhliadhnail
    chan e a-mhàin a chionn 's gu bheil e
    cho fada sìnt' a-mach, ach a chionn
    's gum bruidhnear ro thric ann
    mu dheidhinn feise 's feòlmhorachd –
    "Tha gnothaichean ann", bidh iad ag ràdh,
    "ris am bi a h-uile duin' a' dèiligeadh
    ann am mòmaid shònraichte den latha,
    no den t-seachdain, no den bhliadhna,
    no aon uair a h-uile dhà no trì bhliadhnaichean,
    no gach còig bliadhna a thèid seachad –
    chan e an tricead as cudromach –
    ach dè am feum a th' ann a bhith tilleadh
    air ais uair 's a-rithist gus a' chuspair seo
    is na h-uiread a ghnothaichean ann
    a b' fheàrr do dhàn fada beantainn riutha?" –
    bidh cuid eile fo dhragh, math dh'fhaoidte
    's iad a' smaoineachadh gum bi amharas
    aig leughadairean cuideigin as aithne dhaibh
    bhith falaichte fo phearsachan mo dhàn –
    "Am bòcan, mar eisimpleir!"
    bidh iad a' feòrachadh dhìom,
    "an creutair mì-dhealbhte ud a ghabhas
    àite a' mhinisteir airson sealan,
    cò air a tha thu 'g amas leis a' bhòcan?
    Chan eil sinn airson seasamh fa chomhair
    breitheimh ann an taigh-cùirt,

in front of the judge in a courtroom
and end up paying for a prank like that!"
Which explains why what I'm writing
will only be published as selected
fragments, passages excerpted
and woven together again – I'd be
perfectly happy if that were
to be the case since it would mean
that till the end of the world this poem
can never have a clear and fixed form,
it will constantly get revised, like
the monster in the story that grows
a new head on its neck as soon as
some scoundrel has cut the previous one off –
there will be unending discussions
about how many sections the author
intended there to be, and what
precisely is the correct order
they were meant to appear in

What I have to say, swaying and changeable
    as the plants that are visible
    through the chill, transparent water
    growing on the bed of a fast-running moorland stream –
    you would think they were hair, really
    long tresses, and the water descending
    hurriedly from the high slopes
    as if stroking them gently,
    lovingly, sorry it cannot
    stay around long so as to
    caress and fondle them
    but the little loch never stops crying:
    "Come! Come to me!" – no way the water
    can remain deaf to that call,

air neo bhith air ar pàighneachadh
’son dò-bheart den t-seòrsa sin!”
Uime seo, cha bhi e nochdadh, an dàn
a tha mi sgrìobhadh, ach mar earrannan sgapte,
mar chriomagan air an tarraing a-mach dheth
’s gam figheadh le chèile às ùr –
bidh mi toilichte gu lèor ma thachras sin
chionn ’s nach bi coltas soilleir, socraichte
aig mo dhàn gu ceann an t-saoghail,
’s e ath-nuadhaichte gun stad
mar an uilebheist san sgeulachd
a chinn ceann ùr air a h-amhaich
cho luath ’s a dhèanadh slaoightear
am fear a bh’ ann roimhe a sgathadh –
bithidh na daoin’ a’ sìor-dheasbad
ciod e ’n àireamh cheart a dh’earrannan
a dh’innlich an t-ùghdar a bhith ann
is ciod an t-sreath-leanmhainn phongail
sam bu chòir dhaibh a bhith nochdadh

Mo shearmon ’s e luasganach caochlaideach
mar na lusan a ghabhas fhaicinn
tron uisge fhuaraidh thrìd-shoilleir
a’ cinntinn air aigeann aibhne brais san fhrìth –
theireadh tu gur e falt a th’ annta, dìreach
ciabhan fada, ’s an t-uisg’ a theàrnas
gu cabhagach bho na bràighean àrda
mar gum b’ ann a’ suathadh riutha
gu socair gaolach, oil leis nach urrainn dha
fuireachd ann nas fhaide
gus am beadrachadh ’s an slìobadh
ach tha ’n lochan a’ sìor èigheach:
“Trobhad! Trobhad thugam!” – chan fhaod an t-uisge
fantainn bodhar ris a’ ghairm seo,

and therefore the lovemaking between them
can only take place rushing past

What I have to say, like a woman
    entering a room where many
     people are sleeping, two
     rooms in fact, because this
     is a summer school where young men
     and women and teenagers play
    and learn to play on all sorts
    of musical instruments – males
    and females have to sleep
    in two separate dormitories –
    she opens the big wooden shutters
    that were keeping the light out
    so as to wake them all up gradually
    without any shock or alarm,
    nothing to disturb them
    but the sound of her gentle steps
    and the daylight penetrating
    inside through the window panes –
    quite different from the middle-aged
    woman when I attended
    a similar course as a teenager
    in Bayreuth in Germany, who used
    to march up and down the corridors
    of the school where we were all
    accommodated trying to make sure
    no courting or lovemaking
    went on during the night –
    you can take my word for it
    she didn't succeed! –
    since most of them are teenagers, they take
    their time opening their eyes

uime sin cha bhi an sùgradh eatarra
ach aithghearrach, dèanta san dol seachad

Mo shearmon mar bhoireannach a thèid a-steach gu seòmar *
far a bheil mòran daoine 'nan cadal,
dà sheòmar a th' ann, oir 's e sgoil-shamhraidh seo
far am bi na h-òigeir, na h-òighean
's na deugairean a' cluich 's ag ionnsachadh
a bhith cluich air innealan-ciùil a dh'iomadh seòrsa –
cuirear na fireannaich is na boireannaich
a chadal an dà sheòmar air leth –
fosglaidh i na còmhlachan-uinneige mòra fiodha
a bha a' cumail a-mach an leòis
gus a' chuideachd a dhùsgadh
beag is beag, gun mhaoim gun chlisgeadh,
cha bhi ach fuaim a ceumannan sèimh'
agus leus an latha a' drùidheadh a-steach
tro na leòsain gam buaireadh
– cha b' ionnan ise 's am boireannach meadhan-aosta
's mi fhìn 'nam dheugair aig fèis dhen t-seòrsa cheart
ann am Bayreuth sa Ghearmailt
a rachadh sìos is suas trannsa na sgoil
san robh sinn uile fo aoigheachd
feuch an dèanadh i cinnteach
nach biodh sùgradh no mànran air a thoirt gu buil
leis na h-òigeir is na h-òighean fad na h-oidhche –
dh'fhairtlich a h-oidhirp oirre,
faodaidh sibh mo chreidsinn! –
bhon as e deugairean a th' anns
a' chuid as motha dhiubh, gabhaidh iad
an ùine a bhith fosgladh an sùilean
no sìneadh a-mach an gàirdeanan –
mothaichidh am boireannach do leabaidh no dhà
is dà cholainn 'nan laighe ann, cha bhi e

or stretching out their arms –
the woman notices a bed or two
with two bodies in it, but it doesn't
strike her as urgent or important
to check whether a man is lying
next to a girl, or two men together,
or two women, she is too busy observing
how lovely the young people are,
how supple their limbs, how strong
their thighs and calves – just like her,
I awaken a significant proportion
of the words in my poem
out of dictionaries in which
they slept, they are not old,
more like teenagers for whom sleep
is a species of gymnastics they make use of
in order to grow faster still,
and when finally they get up
out of their beds they lose patience
with the world of adults and their stupid
old-fashioned ways, keen to change
everything and start over again

What I have to say which proves beyond question
    death is not going to triumph over this language
    whatever people who regard Gaelic
    with distaste or detestation may say,
    the ones who forced our parents and grandparents
    to suppress it and neglect it,
    all through endless, oppressive years
    when it couldn't be used at school or at university,
    when teachers would use English
    even for discussing Gaelic topics
    and our language was a source of shame,

'na chùis dheifrich no chudromaich
nochdadh an e fireannach a tha 'na laighe
còmhla ri boireannach, no dithis fhireannach,
no dithis bhoireannach ri taobh a chèile
bhon a tha ise cho mothachail
do bhòidhichead nan òigear, do shùbailteachd
am buill, do neart an leisean is an calpannan –
's ann mar is' a tha mi
's mi dùsgadh cuid nach beag
de na faclan a ghabhas pàirt 'nam shearmon
bho fhaclairean san robh iad 'nan cadal
chionn fhada – chan eil iad aosta,
's e deugairean a th' annta,
aig a bheil an cadal 'na sheòrsa ghiomnastachd
a chuireas iad gu feum a bhith
cinntinn nas luaithe fhathast,
agus nuair a dh'èireas iad
às an leapannan aig a' cheann thall
bidh iad mì-fhoighidneach a thaobh
saoghal nan inbheach
le a dhòighean baoth seann-fhasanta,
fadachd aca ri gach rud
atharrachadh is tòiseachadh às ùr

Mo shearmon a bhios 'na dhearbhadh nach eil
    coltas sam bith ann gu bheil
    an cànan seo fo smachd a' bhàis
    a dh'aindeoin na their a' chuid anns an dùisg
    a' Ghàidhlig gràin no gamhlas, a bha co-èigneachadh
    ar pàrantan is ar seann-phàrantan
    gus a mùchadh 's a dearmad,
    a dh'aindeoin linntean sàrachail fadalach
    nuair nach ceadaichte a h-ùisneachadh
    san oilthigh no san sgoil,

a symbol of poverty and ignorance
for the people who spoke it in a whisper –
it makes me think of a conference
I attended years back in Poland,
in a town they call Szczcecin,
a Prussian town before the war,
Stettin was its name then,
the whole business concluded
with a joyous, festive dinner,
there was a young Englishman who taught
at a university in Italy, as I had
when I was young, and when I went over
to speak to him, the first thing he said was
"Not many people speak that language"
and I heard my own voice saying
firmly, steadily, giving due weight
to each single syllable:
"I – just – haven't – got – the – time"
I got up at once and went over
to the Polish women who I was sure
wouldn't suffer from prejudices of this sort
and wouldn't ask me to talk about something
I'd discussed so often in the past
it simply made me feel sick –
when I looked round, a quarter of an hour later,
the young man was still gazing at me
with a surprised expression, you would think
someone had struck him on the cheek
and I decided there was no question
about it, it's not a job
we have to take on, offering better
education to people who promote English –

sam bruidhneadh na fir-teagaisg
eadhon air cuspair Gàidhealach sa Bheurla,
ar cànan fhìn a dh'fhàs 'na adhbhar-maslaidh,
'na chomharradh air bochdainn is ainfhios
na feadhna chleachdadh ann an cagair e –
smaoinichidh mi air cruinneachadh sgoilearan
bliadhnaichean air ais sa Phòlainn, ann
am baile ris an can na daoine Szczecin
baile Pruiseanach a bh' ann ron chogadh,
Stettin an t-ainm a bh' air, bha suipeir
fhèiseil, mheadhrach a' dùnadh na còmhdhalach,
òigear ann, 's e Sasannach, bha 'g obair
ann an oilthigh san Eadailt, mar a rinn mi fhìn
is mi 'nam òigear, ach nuair a chaidh mi null
a bhruidhinn ris, an ciad rud a thuirt e,
b' e *Not many people speak that language*
agus chuala mise mo ghuth fhìn ag ràdh
gu soilleir, stèidhichte, a' toirt
a thruime sònraichte ri gach aon lide
I – just – haven't – got – the – time
dh'èirich mi air ball is chaidh mi thairis
gus na boireannaich Phòlainneach nach bitheadh,
bha mi cinnteach, claon-bhreith dhen t-seòrs' ac'
's nach iarradh orm bruidhinn mu dheidhinn cuspair
air na bhruidhinn mi cho tric san àm a dh'fhalbh
's gu robh e faisg air sgreamh a dhùsgadh annam –
nuair a sheall mi air ais, cairteal uarach an dèidh sin,
bha an t-òigear a' coimhead orm fhathast
iongantas air aodann, theireadh tu
gun d' fhuair e dìreach sgealp air a ghruaidh
agus smaoinich mise nach robh teagamh ann
nach e dreuchd a bheanas ruinn fhìn
barrachd foghlaim a sholarachadh do luchd na Beurla

What I have to say, at certain times in the past
    like the last shouting of a person
    going down amidst the ocean breakers
    without any hope of support or assistance
    or like someone overcome by despair
    insisting: "I'm alive!" "I'm alive!"
    as if he no longer had any chance
    of finding his right place in the world,
    of seizing life with his two hands
    or like the little boy seeing the doors
    of the great oven where he would meet
    his end protesting to his mother:
    "But Mummy! I was good!"
    and even though things have changed
    and what I have to say today doesn't originate
    in any similar panic or predicament
    I still cannot understand the actual
    working and effect of evil in the world –
    how it reaches out, grasping hold
    of certain people as though they were
    glove puppets, to move them as if
    they were alive with its five fingers –
    that's what happened with my parents –

What I have to say, which very,
    very rarely has the same
    detailed, punctilious slowness
    my partner occasionally has
    when making love – I wouldn't want you
    to get me wrong, sometimes
    the whole business is over
    in a very short time, like the day
    we were both sitting at a wedding lunch –
    a dear woman friend had finally married –

Mo shearmon a bhiodh aig uaireannan san àm a dh'fhalbh
mar an sgreuch mu dheireadh a dhèanadh neach
a' dol sìos am measg sùmainnean a' chuain
gun lorg ann air cobhair no cuideachadh
no mar neach a leanas san eu-dòchas
a' dearbhadh "Ach tha mi beò! Tha mi beò!"
mar gun do chailleadh leis gach comas
air àite ceart fhaighinn san t-saoghal
no air a bheatha ghlacadh le dhà làimh
no mar am balach beag 's e faicinn
dorsan nan àmhainn mhòr san robh e dol
a chrìochnachadh a dh'èigh gu gearanach
"Ach a mhamaidh! Bha mi gasta!" –
agus ged a tha na rudan air atharrachadh
ged nach eil mo shearmon tàrmaicht' an-diugh
am maoim no an cruaidh-chàs coltach
chan eil mi tuigsinn fhathast gnìomhachas
is èifeachd bhuan an uilc san t-saoghal –
mar a bhios an t-olc a' sìneadh a-mach,
a' toirt grèim air pearsannan àraidh
mar gum b' e pùpaidean làmhainn a bh' annta
gan gluasad gu beòthail le chòig meuran
is e sin a rinn e le mo phàrantan –

Mo shearmon aig nach bi ach fìor-chorra uair
      an aon mhaille eagnaidh, mhion-chùiseach a bhios
      uaireannan aig mo leannan 'na ghnìomhachadh –
      cha bu chaomh leam sibh a bhith
      gam thuigsinn ceàrr, faodaidh a' chùis gu lèir
      a bhith air a coileanadh ann an ùine ghoirid cuideachd,
      mar an turas sin a bha sinn còmhla
      nar suidhe aig cuirm-bainnse is bana-charaid
      ghràdhaichte air pòsadh aig a' cheann thall –
      theab sinn gach dòchas a chall oir bha

51

we practically lost hope, because
she had gone out with so many
blokes, some of them perfectly
acceptable, but others there was no way
of grasping how she could possibly
find anything pleasing or attractive
in a monster of that sort – I'm not
talking about manners or looks
but about basic, indispensable things
like, how many times in the week
somebody washes, or having
enough change in their pocket
to pay for two coffees, not to mention
notes – one night my partner
came home, we didn't get a wink
of sleep till three in the morning,
he kept on and on with how worried
he was about our woman
friend – and now it looked as if
everything had got settled properly,
my partner was as pleased as I was,
the two of us slightly tipsy to tell the truth,
even though they still had to serve
the puddings but the wine they poured
into our glasses was excellent
in a way I can't describe –
I realised from how he was looking at me,
and followed him without saying a word
to the gents', he too was silent –
it was an unusually spacious and posh
hotel, in the middle of a big estate, the toilet
cubicles were as big as everything else,
we got through it neatly and quickly,
we were lucky, nobody else entered

uimhir a chompanaich air a bhith aice, cuid dhiubh
geanalta gu leòr ach cuid eile nach gabhadh
creidsinn gu robh i comasach air feart
thaitneach no tharraingeach fhaicinn
ann an uilebheist den seòrs' ud –
chan ann mu dheidhinn gastachd
no ciatachd a tha mi bruidhinn, ach
mu eileamaidean nas bunailtiche riatanaiche
mar, dè cho tric 's a bhios cuideigin
ga nighe san t-seachdain air neo, gu leòr
a mhion-airgead a bhith 'na phòcaid
gus dà chofaidh a phàigheadh,
gun iomradh air notaichean
– bha feasgar àraidh ann a thàinig esan dhachaigh
cha d' fhuair sinn bloigh de chadal gu trì uairean san oidhche
's e bruidhinn is a' bruidhinn mun chùram a bh' aige
air sgàth na bana-charaid ud – ach a-nis bha coltas ann
a h-uile rud bhith seatlaigte gu dòigheil,
mo leannan riaraichte mar a bha mise,
sinn nar dithis beagan nar misg, ris an fhìrinn innse
ged nach robh na mìlseanan
fhathast air am bòrd a ruighinn
ach bha am fìon a dhòirt iad nar gloinneachan
blasta gu ìre nach fhurast' a chur an cèill –
thuig mi bho mar a bha e sealltainn orm
cha tuirt mi facal is mhair esan cuideachd 'na thost,
lean mi e gus an taigh bheag aig na fireannaich –
b' e taigh-òsta anabarrach rumail is spaideil a bh' ann,
suidhichte am meadhan pairce mhòir,
agus na caibeineidean san taigh bheag
aibheiseach mar gach uidheam eile,
thachair a h-uile rud gu luath snog,
bha sinn fortanach, cha d' rinn neach eile
ar ruighinn fhad 's a bha sinn ann –

all the time we were there – once
we had adjusted our formal clothing
with due care, we went back
to the big hall where everyone was seated –
but what I wanted to talk about was
the particular slowness that comes
over him in certain rare moments,
even if the two of us have been
together for such a long time,
generally he sets the rhythm of our lovemaking,
I couldn't actually say why this happens –
that slowness awakens a sensation in me
so acutely pleasurable it almost hurts –
sometimes there is that same rhythm in

What I have to say, like the exultant craziness
        of swallows in an Italian hilltop village
        with twisting, narrow lanes and the houses
        so close to each other, you are panting
        before you finally reach the square
        that opens at the summit – all of a sudden
        you notice the swallows going crazy in the twilight,
        just the way children will run around
        shouting and exulting in the ten
        minutes before they get into bed,
        nature itself squeezing out of them
        every last trace of energy or mischief,
        making you think of how you squeeze a sponge
        tightly between your fingers to expel
        every last remaining drop of moisture –
        the swallows busy weaving in the dusk
        a huge net with their beaks, catching
        the strands of darkness here and there,
        it's not midgies or other flying

an dèidh dhuinn an t-èideadh foirmeil aig a chèile
a chur gu mionaideach air gleus, mar a bha feumail,
chaidh sinn air ais gus an talla mhòr
far an robh a' chuideachd uile 'nan suidhe –
ach 's ann mu dheidhinn maille shònraichte a thig air
am mòmaidean ainneamh a bha mi 'g iarraidh bruidhinn,
neo-ar-thaing gu bheil sinn air uimhir a bhliadhnaichean
a chur seachad le chèile, mar as trice is esan
a stèidhicheas ruithim an t-sùgraidh,
chan eil mi cinnteach carson a tha sin a' tachairt,
's a' mhaille ud a' dùsgadh annam
faireachdainn cho anabarrach tlachdmhor
's gu bheil e 'n impis a bhith pianail
faodaidh an ceart ruithim a bhith uaireannan aig

Mo shearmon mar chuthachd aighearach nan gobhlan-gaoithe
ann am baile beag san Eadailt air barr cnuic
le bòtharan corrach, caola 's na taighean cho faisg
air a chèile, bidh tu ri plosgartaich mun ruigear leat
mu dheireadh an sguèar a dh'fhosglas air a' mhullach –
mothaichidh tu gu h-obann dha na gobhlanan-gaoithe
gan cur air bhoil le camhanaich an latha
dìreach mar a bhios a' chlann a' ruith
a' glaodhach 's a' brùchdadh a-mach
sna deich mionaidean mus tèid iad dhan leabaidh
an nàdar fhèin a' fàsgadh bhuap'
gach aon luirg air smioralas no guaineas,
a' cuimhneachadh mar a bhrùthas neach spong
gu teann eadar a mheuran gus a h-uile
boinne fhliuich' a dh'fhanas innte fhuadachadh –
na gobhlanan-gaoith' gu trang a' figheadh sa chamhanaich
lìn aibhisich len goban, a' glacadh
snàthainnean an dorchadais an siud 's an seo,
chan e na cuileagan no na meanbh-bhiastagan

insects they intercept, but the ends
of threads of darkness floating in the air
as diligently they dart back and forth
between the eaves, intently weaving
that net tighter, gradually and deliberately
so night gets trapped in it,
a dark blanket descending on us
that forces even the most tempestous
and restless of children to yield in the end
to sleep, even if they're still not tired of

What I have to say, like an aged professor
who has lost interest in his job
and has been saying the same
things, repeating the same
judgements and evaluations
over and over to generation after generation
of poor, fatigued students, the girls
and youths sitting in front of him today
could be the grandchildren of somebody
from the first class that ever listened to him,
the pages in front of him written
in a peculiar miniature hand,
yellow and tattered, produce
an amazing crackling when he
puts one down and lifts up another,
the lesson so dull and soporific
that sleep overcomes the students, you rest
your head on the palm of your hand but
that only makes things worse and then
a marvellous dream descends upon you
even more incredible and involved
than the one you had yesterday,
when the same professor

itealach eile a cheapas iad, ach cinn
sreanganan na duibhr' ag udal san adhar,
iad gu dìcheallach a' saigheadh
eadar nam bunnacha-bac, a' teannachadh
na lìn ud anns an tèid an' oidhch' a ribeadh
gu mall rùnaichte dh'aona-ghnothach,
plangaid dhubh a' teàrnadh oirnn uile
a cho-èignicheas eadhon an fheadhainn as buaireasaiche
's as an-fhoiseile dhen chloinn a ghèilleadh
ris a' chadal a dheòin no a dh'aindeoin

Mo shearmon mar òraid àrd-ollaimh aost'
    a tha air fàs sgìth de dhreuchd, 's e air na rudan
    ceudna ràdh, na breithneachaidhean 's na luachaidhean
    ceudna gan ath-aithris ri ginealach
    às dèidh ginealaich a dh'oileanaich
    bhochda shàraichte, 's nighean no fiùran
    'nan suidhe air a bheulaibh an-diugh a tha
    's docha 'nan oghaichean aig cudeigin a bha
    sa chiad chlas riamh a bha ag èisteachd ris,
    tha na duilleagan sgrìobht' an litreachan beaga annasach
    air an deasga fa chomhair buidh' is lorcach,
    's iongantach a' bhragadaich a chluinnear
    's e cur tè dhiubh sìos, a' gabhail 'na làimh
    tè eile, an leasan cho tàmhach dùr
    's gu bheil an cadal a' tighinn ort,
    thus' a' toirt taic do d' cheann
    le bas do làimh', cha bhi an suidheachadh
    ach a' fàs nas miosa, an uair sin
    bidh bruadar mìorbhaileach a' teàrnadh thugad
    nas neo-chreidsinnich' ioma-fhillte eadhon
    na 'm fear a bh' agad a-raoir 's an aon àrd-ollaimh
    a' toirt òraid, dranndan cofhurtail
    mar a thig bho sheilleanan a' tighinn

was giving a lecture, a comforting
buzzing like bees emerging from his mouth –
years afterwards, when you have children of your own
and finally a child that was unbelievably
restless and fretful has fallen asleep
you will reflect that you are grateful
to that professor, not for his lessons or his opinions,
but for the glorious, exceptional dreams
that arrived when sleep overcame you
since his lectures were so excruciatingly tedious

What I have to say, like the fruits in the Budapest
markets through the summer months,
cherries, strawberries, raspberries,
apricots, blueberries, blackberries,
gooseberries, peaches with light down
or else hairless – not to mention
the grapes, the pears and the apples,
since when they appear
it's a sign autumn has already arrived –
but from the end of May to the beginning
of September abundant fruits keep taking
one another's places like instruments
in a big orchestra – sometimes
the violins have the melody but now the brass
come out on top or the plaintive
voice of the oboe reaches a shrill
apex or the arabesques of a flute
catch your attention over every other
voice, resonance or vibration, like
the embroidery on a blanket someone
has opened out – your hearing
catches the whole ensemble,
blending and combining the sounds

às a bheul – bliadhnaichean às a dhèidh,
is do chlann fhèin agad, an cadal air tèarnadh
mu dheireadh thall air leanabh a bha
trioblaideach is frionasach air dòigh shònraichte
saoilidh tu gu bheil thu a' toirt buidheachais
don phroifeasar ud, chan ann a thaobh
a theagaisg no a bheachdan, ach air sgàth
nan aislingean prìseil luachmhor a theirinn thugad
nuair a bha an cadal air do bhuannachd
leis cho ràsanach dòrainneach 's a bha a shearmon

Mo shearmon fhìn mar na measan ann am margaidean
    Bhudapest fad mhìosan an t-samhraidh
    na sirisean, na sùbhan-làir, na sùbhagan,
    na h-aibreagan, na braoileagan, na smeuran,
    na gròiseidean, na peitseagan mìn-chlòimheach
    no maol – chan abair mi na fìon-dhearcan, na peuran
    's na h-ùbhlan bhon a bhios an nochdadh
    mar shoidhne gu bheil am foghair air tighinn mar thà –
    ach bho dheireadh na Màigh gu tòiseachadh
    na Sultain bidh pailteas de mheasan
    a' sìor ghabhail àit' a chèile
    mar ionnsramaidean ann an orcastra mhòir –
    aig amannan bidh fonn aig na fìdhlean
    a' toirt buaidh air gach seirm eil' a th' ann
    ach a-nis na pràisean a' tighinn air an uachdar
    no guth gearanach na h-òboidh
    gu biorach a' ruighinn na h-àirde
    air neo araibeasgan an duiseil
    a' tarraing d' aire os cionn gach uile guth,
    srainn no triobhualaidh, mar an obair-ghrèise
    a sgeadaicheas plangaid shìnte a-mach –
    do chlaisneachd a' glacadh na co-chòisreach uile
    a' coimeasgadh 's a' tlamachadh nam fuaim

to a unity but at the same time
distinguishing the elements
that cooperate with one another
just as your tongue and your palate
investigate the harmony of tastes
in one single peach, if it is ripe,
ready for eating, brought from somewhere
close by, the combined effort of delicate flavours
reminding you of the multiplicity of colours
of the fruit that caught your eye when
you went shopping in the market that morning

What I have to say approaching its end
like sleep, overtaking you little by little,
you detect it here and there in your body
but maybe it's fragments of wakefulness
you are noticing, seeing nobody
can trace the onset of sleep,
a sort of forgetfulness
similar to the tide regaining
a beach, conquering stealthily,
the waves breaking and retreating so similar
to the ceaseless in and out of your breathing –
every now and again you miss a wave and all
of a sudden you're amazed
to see how little sand is left, the tide
nearly reclaimed the whole beach,
consciousness swiftly forsakes all
of your limbs with sleep's irresistible
onset, your thought's an emigrant,
no way of saying which sanctuary
will welcome it, it could be a passenger
on a boat not yet vanished from sight,
a faint mark where the skies end,

gu h-aonadh ach aig a' cheart àm
ag eadar-dhealachadh nan eileamaid
's iad a' co-obrachadh le chèile
dìreach mar a bhios do theanga 's do chàirean
a' mion-sgrùdadh co-chòisir nam blas
a th' aig aon pheitseig a-mhàin, ma tha i abaich,
deiseil ri ithe, air a giùlan bho àite
nach eil fad às, co-shaothair nam maoth-bhlas
a' cuimhneachadh ort iomachaochlaideachd
dath nam meas a bha glacadh do shùla
sa mhadainn, nuair a rinn thu a ceannach sa mhargaid

Mo shearmon 's e a' teannachadh gu crìch
mar an cadal a' buannachd ort beag is beag
fairichidh tu e ann am badan de do bhodhaig
no 's dòcha gur e bloighean de mhosgalachd
dha bheil thu mothachadh, bho nach urrainn
do dhuine a bhith fiosrach mu theàrnadh a' chadail
seòrsa dìochuimhneachadh a th' ann
faodaidh e bhith mar làn-mara a' sìor bhuannachd
air an tràigh, ga ceannsachadh gu fiatach,
teachd is tilleadh nan tonn cho coltach ris
an iomlaid shìorraidh bhios aig d' analachadh –
caillear leat gluasad tuinn uair 's a-rithist
ann am mòmaid thig an t-iongnadh ort
's cho beag de ghaineimh a' mairsinn fhathast
theab a' mhuir an tràigh gu lèir a bhuannachd
tha d' fhiosrachadh air gach ball a thrèigsinn
le neart na cadalachd is i do-bhacadh
do smuain air fògradh, chan eil dòigh air ràdh
ciod e an tèarmann a chuireas fàilt' air
tha e math dh'fhaodt' 'na shiubhlaiche air bàta
fhathast nach deach dìreach à sealladh
'na shanas lag an àiteigin san fhàire

61

an indistinct blotch on the horizon
and you're like a candle they're blowing out

What I have to say, when it reaches a genuine
　　end, not easy to distinguish
　　from silence, the absence of sound not being
　　monotonous or undifferentiated –
　　not one thing but instead
　　a multitude of different things
　　changeable as the surface of the sea
　　on which that boat's proceeding into exile –
　　maybe your consciousness is in the boat,
　　but there's no way of telling,
　　after you have been snuffed out you will
　　reappear the morning after, while
　　with every likelihood the boat that is
　　vanishing now will never be seen again –
　　seeing no secure, indisputable
　　boundary can be set down between
　　silence and sound, perhaps
　　the lack of noise merely offers the chance
　　to hear how silence gets broken
　　by new sounds emerging, given that
　　on the seabed of every silence there persist
　　the tiny noises of your body, your blood
　　circulating, that faint buzzing in your ears –
　　better for you to ask before both of
　　your eyes close irrevocably whether
　　there really can ever be an end to

What I have to say.

’na smal gun dreach dheimhinnt’ aig bun nan speur
’s tus’ thu fhèin mar choinneal ga sèideadh às

Mo shearmon nach fhurast’ eadar-dhealachadh
     bhon t-sàmhchair ’s e a’ crìochnachadh gu dearbh
     agus a chionn ’s nach eil an tostachd
     ionnanach, monotonach no rèidh –
     chan e aon rud a th’ innte ach
     lìonmhorachd de rudan diofraichte
     tha i cho iomachaochlaideach ri uachdar
     na mara ’s am bàta sin ’na fhogarrach oirre,
     dh’fhaodadh gur anns a’ bhàta ud a tha
     d’ fhèin-fhiosrachadh ach chan eil sin cinnteach,
     an dèidh do d’ dhubhadh às bidh tu
     ri d’ nochdadh a-rithist air an ath-mhadainn,
     ach am bàta a thèid à sealladh tha coltas ann
     nach fhaicear e uair eile gu là luain –
     a chionn ’s nach gabh aon iomall sònraichte
     neo-amharasach a stèidheachadh eatorra,
     an tost ’s an torrann, faodaidh nach eil san t-sàmhchair
     ach ’na dòigh air an comas a th’ aig an tost
     a bhith ga riastradh a chluinntinn, fuaimean
     ùra gan toirt gu breith a chionn
     ’s gum fan air aigeann nam balbhachd gu lèir
     toirmean meanbha do cholainn, cuairteachadh
     d’ fhala, mion-dranndail do chluasan –
     b’ fheàrr leat faighneachd mus bi do dhà
     shùil a’ dùnadh air dòigh do-atharrachaidh
     an ruigear gu bràth crìoch fhìor le

Mo shearmon.

II

II

Almost always, when I start a poem,
I get the feeling she's not going to like it.
It will annoy her. Shaking her head,
she is peering over my right shoulder,
judging me. What I'm doing agitates her.

Is that not foolish, me thinking of her
the way a child thinks of an impatient mother
he has to hide his most entertaining,
outlandish inspirations from so he
can escape her scowl, her wounding words?

Foolish because there was a period
when we were dear friends, in the habit
of sharing without any time being lost
each enthusiasm, each new discovery.
Since she gradually abandoned Gaelic,

returning to the language of her forebears,
she has no reason to be envious,
interpreting my fluency or my
productiveness as a threat. The flowing streams
of my discourse refresh terrains she left.

Even though decades have since elapsed
and we are both far older, can it still
persist, that foolish trouble, offered love
leading nowhere, contrasting desires
directed at the same object – at men?

Cha mhòr gach uair a thoisicheas mi dàn,
fairichidh mi nach còrd sin idir rithe,
gur adhbhar diombaidh e. Bidh is' a' sealltainn
trast' air mo ghualainn cheairt, crathadh a cinn,
gam dhìteadh, 's m' oidhirp 'na cùis tuairgne.

Nach gòrach sin, gu bheil mi smaointinn oirre
mar leanabh air màthair mhì-fhoighidnich,
fo èiginn a phlòighean agus innleachdan
as aoibhnich' annasaich' a chumail falaicht',
gus a gruaim 's a faclan geur' a sheachnadh?

Nach gòrach, bhon a bha sinn uair nar càirdean
gràdhaichte, a b' àbhaist dhuinn cha mhòr
gach aon diorras a bh' ann, gach nochdadh ùr
a fhuaras a phairteachadh gu grad?
Bhon a thrèig i beag is beag a' Ghàidhlig,

a' tilleadh gu cànan a sinnsireachd,
cha bhiodh cìon-fath ann ise a bhith tnùthmhor,
no m' fhileantachd 's mo shìolmhorachd a' fàs
'nam bagradh air a sgàth. Ùraichidh
sruthan siùbhlach mo shearmoin fonn a dh'fhàg i.

Ged a tha deicheadan de thìd' air sileadh
's sinn a' fàs aost', a bheil e mairsinn fhathast,
am buaireadh faoin, gaol tairgte nach b' urrainn
a thoirt gu buil bhon a bha targaid cheart
aig mianntan diofaraicht' – na fireannaich?

THE EVIL IN HIS EYES

His eyes were the first thing to scare me.
Evil peeped out from them like a bird
perched in some gloomy, spectral tree,
convinced that nobody was able to detect

what he was actually up to, hidden
in a face that was plausible, guileful,
even attractive, but in a strange
and troubling way. I couldn't understand

why no one else noticed the danger
playing hide and seek amidst
the shapely, regular lines of that visage.
Since our first meeting made it obvious

that we were fated to be out and out
enemies, he probably realised –
perhaps without knowing he realised it –
that I was fully aware of the degree

of envy, malice and unpleasantness
concealed beneath the charm of his exterior.
That explains why he could never tolerate
having me around, or anywhere close.

The last time we saw each other, he had grown
truly old. The pills he had been given
for all the illnesses that stage by stage
afflicted his organism were scattered

AN T-OLC 'NA SHÙILEAN

B' iad a shùilean a chuir eagal orm an toiseach,
an t-olc a' gìogadh a-mach asta mar eun
air spiris ann an craoibh ghruamaich, ailmsich,
làn-creidmheach nach b' urrainn do neach sam bith

claonadh fìor a ghnìomachais a nochdadh,
's e ceilte ann an aodann a bha aoibhneach,
taitneach ach cuideachd gabhdach ann an dòigh
annasaich, bhuaireasaich. Cha robh mi tuigsinn

carson nach robh duin' eil' a' mothachadh
don chunnart a rinneadh feall-fhalach am measg
loidhnean cuimir is riaghailteach na gnùis ud,
's e follaiseach bho latha ar ciad coinneamh

gu robh e 'na dhàn stèidhichte dhuinn fantainn
nar nàimhdean, tha e coltach gu robh fhios aig' –
math dh'fhaodte, fhios neo-fhiosrachail a bh' ann –
gu robh mi fhìn làn-eòlach air tomhasan

an fharmaid, an tnùtha 's na sgrathaileachd
falaichte fo gheas a bheusan uile.
B' ann a thaobh sin a dh'fhairtlich air an-còmhnaidh
m' fhaisge fhìn air neo mo chuideachd fhulang.

An turas mu dheireadh a thachair sinn, 's esan
air fàs dìreach aosta, bha na pileachan
a thugadh dha mar leigheas 'son nan galar
uil' a bhuadhaich ùidh air n-ùidh a chom

in front of him on the restaurant table.
He was waiting for some young woman or other
who eventually turned up, who had been
a student of his, and was looking for

guidance and advice in her research.
I experienced no satisfaction,
neither exhilaration nor contentment,
despite the hypocritical words of praise

that began pouring from his lips about
the care and attention I gave Sorley's poems.
All I could do was study those eyes again –
were it not for them, he might have been

genuinely attractive – and ask myself
why the words I chose were so polite,
what it was that kept me from affirming
our enmity was never going to end.

sgapte fa chomhair air bòrd àite-bidhe.
Bha e feitheamh air nighinn air choreigin
a nochd an dèidh ùine, 's i air a bhith
'na sgoilear aige, a bha sireadh dheth

stiùireadh 's comhairle 'na h-obair-rannsachaidh.
Cha riarachas, no sàsachadh, no caithream
a bha mi fidreachdainn mu dheireadh thall,
neo-ar-thaing don mholadh bhreug-chràbhach

a thòisich a' sileadh gu sruitheil bho bhilean
mu mo chùram a thaobh bàrdachd Shomhairle.
Cha robh mi ach a' mothachadh uair eile
da shùilean – as an eugmhais bhiodh e air

a bhith 'na dhuine eireachdail da-rìribh –
's a' faighneachd dhiom carson a bha na faclan
a thuirt mi modhail, carson nach do dhearbh mi
gu robh an nàimhdeas eadarainn neo-chrìochnaicht'?

THOUGHTS IN ÚSOV

Not difficult to work out what it is
that draws me back again to empty places,
willingly or unwillingly abandoned

by the people who used to live there
who emigrated to different surroundings.
My own forebears faced eviction far

from the places they were born and reared
Poverty and deprivation made them exiles,
seeking a living, wages and a home,

no matter how ugly the factories,
how poisonous, black, suffocating the
smoke and stench emerging from those chimneys,

how cramped and wretched the accommodation
they were housed in, how hostile and chilling
the welcome they came up against in Glasgow,

where their labour was exploited so
mercilessly, savagely. But then,
here in Úsov, Scotland is far off.

I walked past the temple, under the arch
leading to the deserted cemetery,
treading softly on the wild grass rising

to a low horizon, noticing
how quietly the leaves murmured, the birds
busy with their new nests and their young.

SMUAINTEAN ANN AN ÚSOV

Chan eil e doirbh soilleireachadh carson
a thèid mo tharraing air dòigh leanailtich
gu àitean a tha falamh, air an trèigsinn

leis na daoine bhiodh a' fuireachd annta,
ge b' e gu deònach neo gu h-aindeònach
a thoisich iad an turas gu tìr eile.

Chaidh mo shinnsirean fhìn fhuadachadh
fada bho fhearann am breith is an àraich.
Chuir cruaidh-chàs is bochdainn iad air fògradh,

a' sireadh cosnadh-beatha, lòin is taigh,
air cho sgreamhail 's a bha gach factoraidh,
cho nìmheil, dubh, murtaidh an smùid a' tighinn

a-mach bho na similearan, cho spìocach,
dinnte na fàrdaichean a thugadh dhaibh,
cho fionnar, nàimhdeil na fhuair iad a dh'fhuran

an Glaschu, far an deach an neart 's an saothair
ùisneachadh air dòigh an-ìochdmhoir, bhuirb.
Co-dhiùbh, an seo, ann an Úsov, bha Alba

fad air falbh. Chaidh mi seach an teampall
is choisich mi fon bhogha gus an rèilig,
a' ceumadh air an lèanaig mhaoith a dh'èireas

gu fàire ìosal, a' sìor mhothachadh
do monmhar ciùin nan duilleag, do na h-eòin
's iad dripeil mu na neadan ùr 's an àl.

Long before the arrival of the Nazis
in the Czech Lands, the Jews had left this place,
liberated from the unjust laws

that kept them cooped up through long centuries.
Some made the wearisome return journey
to their ancient lands. After the second

war, the remaining Germans were deported.
Only Czech people stayed on in the town.
Eviction, banishment and exile – had

one of my forebears called upon the family
I grew up in, there would have been no way
for us to talk, understand what he said.

We had been evicted from a language
as well as from a world. We'd look at him
dumbly, as if he came from another planet

with which we had no meaningful connection.
On the decorated gravestones, some
standing upright, others teetering,

I could read the names of men and women,
here and there a wretched child who died
with barely the chance to get a taste of life.

They were Jewish, but had German names.
But then, so many languages have passed
on from one population to another.

No one should imagine that he has
a claim on a particular language. They
are shifting, promiscuous, mercurial,

Bha na h-Iùdhaich air a' cheàrn a thrèigsinn
mus tàinig fòirneart uamhasach nan Nazi,
's iad air an saoradh bho na laghannan

eucoireach a shàraich iad fad linntean.
Rinn cuid dhiubh turas claoidhteach gus am fearann
aosta, is an dèidh an dàrna chogaidh

chuireadh na Gearmailtich cuideachd air fògradh.
Cha do dh'fhan ach Seicich anns an àite.
Fògradh, fuadachadh is eilthireachd –

nan robh fear dhem shinnsirean air nochdadh
san teaghlach far na rugadh mi, cha bhiodh
comas air a bhith ann bruidhinn leis

oir chaidh ar fuadachadh bho chànan cuideachd.
Bhitheamaid a' sealltainn air gu balbh
mar neach a' teàrnadh sìos bho phlanaid eile

ris nach robh ceangal no bann fiachail againn.
Leugh mi air na leacan-uaigh dreachmhor,
cuid dhiubh dìreach, cuid dhiubh beagan claont',

ainmeannan nam boireannach 's nam fear,
ainm pàiste truaigh no dhà a chaochail
gun blas na beatha fheuchainn. B' ainmeannan

Gearmailteach a leugh mi, ach cha robh sin
gam bhuaireadh, bhon a bhios cha mhòr gach cànan
ga ghabail air iasad bho chinneadh diofraicht'.

Cha bu chòir do dhuine creidsinn gu bheil
dligh' shònraicht' aig' air cànan àraid, 's iad
siùbhlach, neo-dhìleas is sùbailte

longing only for new lips and sounds.
I observed the symbols and the Hebrew
writing on the gravestones, in my ears

the singing of the small birds and their low,
trusting flight in the gentle afternoon,
obviously at ease in the company

of the dead. I found tranquillity and peace
on the eddying ground of that graveyard
in Úsov no friend or relation visited.

gun ionndrainn ach ri bilean 's fuaimean ùra.
Bha mi ag amharc air na h-ìomhaighean
's na litrichean Eabhrach snaidht' air na leacan,

a' mothachadh do cheilearachd 's do iteal
ìosal is earbsach na h-eunlaith bige
a tha cho socrach ann an companachd

nam marbh, a' faireachdainn suaimhneis is sìth
measg tulgadh foiseil rèilig ann an Úsov
far nach biodh caraid no dàimheach a' tadhal.

Each step we take brings us closer to death.
When we are young, although the steps are bigger
than any we will take again, they seem
small, with so much road still to be travelled.

But as the ending gradually draws nearer,
every movement feels immense, no matter how
limited the days or hours involved,
and the sense of wonderment increases:

wonder a final point is stipulated
for a journey we thought could be endless,
wonder that a frontier was established
for us just as for others. To begin with,

the death of a friend or a contemporary
seemed a horrendous injustice, whereas now
sickness, death, an operation in our circle
are maps of an unknown territory we,

too, must explore. But the particular
wonder I feel now is different, since
I was sure I would never reach forty
given I was a faulty mechanism,

so badly put together its components
would rub against each other, bumping, scraping –
until a sudden conflagration set
the whole device alight, and left just ashes.

Bidh gach aon cheum a nì sinn 'na dhlùthachadh don bhàs.
An uair a tha sinn òg, ged a rinnear leinn na ceumannan
as motha nì sinn a-chaoidh, bidh iad a' sealltainn goirid,
's a leithid de rathaid romhainn ri siubhal oirre fhathast.

Ach mar a bhios an deireadh a' sìor thighinn nas fhaisge
's e ceum aig fuamhair a chithear anns gach gluasad
ged nach iarr e ach beagan lathannan no uairean.
Agus fàsaidh faireachdainn an iongantais nas làidir',

iongantas 's sinn a' tuigsinn gu bheil ceann sònraicht' ann
oir bha sinn a' smaoineachadh gum biodh ar siubhal buan,
iongantas gun deach iomall a stèidheachadh
gu seasmhach air ar sgàth, mar a rinneadh 'son càich.

Ro-làimh b' e euceart oillteil a chunnaic mi am bàs
càraid no co-aoisich, ach chì sinn a-nis an galar,
bàs no opairèisean nan daoin' a tha faisg' oirnne
mapa ceàirn aineolaich gus am bi sinn cuideachd a' triall.

Ach is beagan eadar-dhealaicht' an t-iongantas seo àraid
a bhios mi faireachdainn, on a bha mi uile-chinnteach
nach bithinn fhìn a' ruighinn aois dà fhichead bliadhna
a chionns nach b' e ach uidheam giamhach a bh' annam,

fear a bha co-thathte air dòigh cho mearachdaich
's gu robh na h-eileamaidean a' dol trast' air a chèile,
a' sgròbadh 's a' co-bhualadh – bhiodh tein-èiginn air ball
a' losgadh na h-innleachd uile, rachadh i 'na bruanan.

79

Wonder I kept going so long, like someone
looking through a house he's going to live in,
opening doors with keys an invisible
hand supplied, a great bunch on a ring.

He looks into room after room, imagining
he'll never reach the far side of the place,
speculating what to do with them,
how to put them to use, which pursuits, pastimes

and undertakings can fill all these waiting
spaces, as if they would never end.
Or the wonder of a man given a notebook
he can write his usual stories in,

bent over the page, pencil in hand,
rubbing out and restarting a sentence
that must be perfect before he can leave it.
Looking ahead and seeing so many pages

waiting for him to fill up, when his
story is close to finishing, the characters
have met their fate, reward or punishment,
he asks himself anxiously what more he can

write, what situations he can invent
and interweave. He's tired imagining.
He scrutinises the blank, threatening page
and laughs. He will come up with something more.

Iongantas 's mi mairsinn cho fada ann, mar neach
a' tro-rannsachadh taighe sa bheil e dol a dh'fhuireachd,
a' fosgladh iomadh dorais le iuchraichean a thug dha
làmh do-fhaicsinneach, 'nam bagaid mhòir air fàinne.

Fosglaidh e na seòmraichean, tè às dèidh tè eile,
a' faighneachd cùin a nochdar ceann eil' an àite-fàrdaich,
a' beachdachadh 's a' cnuasachd dè thèid a dhèanamh annta,
an dòigh cheart air an ùisneachadh, ciod iad na ceàirdean uile,

gach cur-seachad dam b' urrainn na rùmannan a lìonadh
's uiread dhiubh a' feitheamh, mar nach biodh crìoch idir ann.
No iongantas cuideigin, 's leabhar-nòtaichean ga thoirt dha
far am faod e sgrìobhadh sgeulachd mar a b' àbhaist,

crom air an duilleig, peansal 'na làimh, a' rubadh às
is a' toiseachadh uair eile seantans a dh'fhairtlich air
is a dh'fheumas a bhith coileant' mus bi e sàsaichte.
Ma sheallas e air adhart, chì e gu bheil pailteas

dhuilleagan ann fhathast, a' feitheamh air a bhriathran,
ach tha 'n sgeulachd faisg ri ceann, 's na caractaran uile
air na bha an dàn dhaibh, air dìol no peanas fhaighinn.
Feòraichidh e fo iomagain dè bhios e sgrìobhadh fhathast,

dè na suidheachaidhean ùra a tha e comasach
air innleachd 's eadar-fhigh', 's a thionnsgnadh fàilligeach.
Sgrùdaidh e bàin' nan duilleag, 's i cho bagrach, smàdach.
Feumaidh e gàireachdaich, 's plòigh bheag no dhà aig' fhathast.

I watched a man who had once been my friend
gradually become shut inside a circle
of loneliness and exclusion, ready made
dinners (one portion only) bought in Marks
& Spencer's. The same circle threatened to

close around me, but I succeeded in
reneguing on my responsibilities,
abandoning my classes and my students,
my own room at the university,
setting aside each privilege and comfort

accumulated with the passing years.
I escaped. Long before I had felt the urge
to grasp him in my arms and shout: "Living like this
is not allowed! It's a disgrace, no matter
how harmless and respectable it may

appear!" I needed time to understand
that, in his own eyes, his predicament
was something that had happened to him, not
his fault, something he was not guilty of,
impossible to alter, to shake off.

or to elude. Yet in reality
it was a sentence delivered on himself,
an affliction whose origins lay deep inside
from which nobody could set him free.
Long afterwards, we bumped into each other

on an Edinburgh street, and agreed we
would meet for coffee on some other day.

Fear a bha uaireigin 'na chàraid agam,
chunnaic mi e beag is beag ga dhùnadh
ann an cearcall de dh'aonranachd, de ghearradh –
às, de dhinnearan (aon roinn a-mhàin)
deasaicht', ceannaicht' ann am Marks & Spencer's.

Bha 'n aon chearcall a' teannachadh mum thimcheall
ach theich mi às, 'g àicheadh gach dleastanais,
a' fàgail nan clasaichean, nan oileanach,
mo sheòmair singilt' san oilthigh, a' cur
mu thaobh nam pribhleid is nan socharan

a rinn mi 'n càrnadh suas fad nam bliadhna.
Eadhon ron àm sin, thigeadh orm stuigeadh
a ghlacadh gu grad 'na mo ghàirdeanan
is èigheachd ris: "Chan eil e ceadaichte
a bhith beò air an dòigh seo, 's e 'na mhasladh

air cho neo-lochdach, measail a tha e coimhead!"
Bha feum agam air ùine mus do thuig mi
gu robh e faicinn 'na chàs rudeigin
a dh'èirich dha, ris nach robh e coireach,
nach gabhadh seachnadh no atharrachadh.

Bha sin 'na bhinn a lìbhrig e air fhèin,
'na àmhghar tàrmaichte an doimhn' a bhith
bho nach soirbhicheadh le neach sam bith
a shaoradh. Thachair sinn fad' às dèidh sin
gu tuiteamach san t-sràid ann an Dùn Èideann

agus cho-aontaich sinn gun gabhamaid
còfaidh le chèile air là de na làithean

He quickly wrote that he had changed his mind.
Better for us not to meet any more.
After which, all that remained was silence.

ach sgrìobh e thugam a dh'aithghearr gun robh 'bheachd air caochladh. B' fheàrr nach robh aon chòmhradh eile eadarainn. Cha do mhair ach an tost.

I would love to track him down, wherever
he may be hiding, in a secure corner
or a dank cellar somewhere inside me,
the boy that I once was, and still am

even today, not completely healed,
who is convinced that human bonds
are nothing but a deceitful performance,
that the love and respect people proclaim

so clamorously are a lying camouflage
for self-interest, greed, the compulsion to
exploit others and put them to use.
He sent off many an embassy

to represent himself. Some
were vivacious, others compassionate
and sympathetic, patiently hearing out
the accusations and confessions

people made, himself uncertain
because he didn't know if his
behaviour was honest or else
treacherous. He got lost amid lies

that were entirely of his own devising.
His confusion became more and more chaotic
and he searched through image after image,
hoping the truth was to be found among them.

Bu mhiann leams' a lorg, ge b' e càite
sa bheil e falaicht', ann an oiseann theàraint'
air no an seilear tungaidh dhe mo bhith,
am balach siud a bh' annam uair, a th' annam

gus an-diugh, nach deach a shlànachadh
gu tur, a chreideas gur e taisbeanadh
breugach a-mhàin a th' anns gach ceangal daonna,
nach eil an gaol, an t-urram a thèidh a ghlaodhadh

gu sgairteil labhartach ach 'na chòmhdach meallt'
aig fèinealachd, aig sannt, an dèin' a bhith
'g ùisneachadh càich, gan cur dìreach gu feum.
Chuireadh e iomadh ambasaid air siubhal

a rinneadh esan fhèin a riochdachadh:
buidheann a bha mireagach, buidheann eile
bha tlusail, truacanta, chluinneadh gu ceann
casaidean is aideachadh nan daoine

gu foighidneach ach so-mheallta, is bhiodh
e fhèin ga chur fo imcheist, gun fhiosta
ceart mu dè bha onorach no cealgach
'na ghiùlan. Bha e ga chall am measg nam breug

nach do dh'innlich neach seach esan fhèin.
'S a bhuaireas a' sìor fàs na b' aimhreitich',
rannsaich e measg nan ìomhaighean, san dòchas
gun nochdadh e an fhìrinneachd an sin.

He was like someone directing a play,
constantly weaving deceptions to a net,
while poor truth had been sent into exile.
Yet it returned, playfully taking on

turn by turn the appearance of each lie
though he believed his deceitfulness was flawless.
And, at the conclusion of the play,
a heroine would come down from the scaffold

where she was waiting to be sacrificed
(she could very well be the truth) and lift
the boy's hand in her own, while both of them
acknowledged the applause of all those present.

Bha e mar neach a' riaghladh dealbh-chluiche,
a' fuaigheal lìn sìnte de mheallaidhean
anns nach deach an fhìrinneachd a cheapadh.
Ach bha i 'n làthair, a' gabhail gu cleasanta

fear seach fear tuar gach brèig' a dh'innlich e,
ged a chreid e gur coileanta a chealg.
Agus, aig ceann na cluiche, bhiodh bàn-laoch
a' teàrnadh sìos bhon sgafall far an robh i

deasaichte ri h-ìobradh (math dh'fhaoidt' gur e
an fhìrinneachd a bh' innte), is a thogail
a làimh 'na làimh, an dithis dhiubh a' faicinn
's a' cluinntinn caithream bhodharach an t-sluaigh.

TO YOU

We haven't met so far, and from the look
of things, we aren't ever going
to meet. Maybe that can happen
in another life, seeing six decades
were not long enough for me
to make the preparations that were needed.

But I can picture nevertheless,
despite the doubts and the displeasure,
the suspicion, the hopes that failed,
how you would have sat opposite me
in the restaurant last night, observing
the people seated around us

without understanding a word they said.
Observing me too, for I would be
an eternal puzzle in your eyes,
something your hands and your mind
could never get a firm and steady
grip on. And yet when we were engaged

in that business, a business I learned
when I was still a child was horrendous,
repulsive and disgusting in
the eyes of my parents and of all
known authorities, religions
and doctrines – when you got down

to lovemaking, it was something
as open and natural as when
someone brushes their teeth in the morning,
or washes their body and takes care of it,

DHUTSA

Cha do choinnich sinn gu ruige seo
agus a-rèir coltais cha choinnich sinn
a-chaoidh. Math dh' fhaodt' gun tachair sin am beatha
eile, dhiofaraichte, bho nach robh
sia deicheadan gu leòr a thìde gus
mo dheasachadh riut mar a bha feum ann.

Ach 's aithne dhòmhsa, a dh' aindeoin gach teagamh,
gach mì-ghean, gach amharas, gach dòchas
a chaidh a làn-mhealladh, mar a bhiodh tu
air a bhith nad shuidhe fa mo chomhair
anns an taigh-bìdh a-raoir, a' fidreachdainn
nan daoin' a bha 'nan suidhe mun cuairt oirnn

gun aon fhacal de 'n cànan a thuigsinn.
Fidreachail cuideachd mu mo dheidhinn fhìn
oir mhairinn fhathast 'na mo thoimhseachan
air do sgàth, rud a dh'fhairtlich ort an-còmhnaidh
grèim cunbhalach, stèidhicht' a ghabail air
le do làmhan air neo d' inntinn. Ach an uair

a bhitheadh sinn a coileanadh a' ghnìomha,
an gnìomh a dh'ionnsaich mi, 'nam leanabh fhathast,
a bhith cho oillteil, sgreamhail, grathail ann
an sùilean mo phàrantan is ann am beachd
gach ùghdarrais, gach creideimh is gach teagaisg
aithnichte – an uair a thòisicheadh

tusa air sùgradh, bhitheadh e 'na chùis
cho fosgailte is nàdarra mar neach
a' glanadh a chuid fhiaclan anns a' mhadainn,
no nighe 's ag altraim a cholna fhèin

or has a pee, or blows their nose.
Though at the same time you wanted me

to surrender, to utterly abandon myself,
almost to pour myself into you
so the last puzzle could find a solution
that was capable of stilling
your longing to take hold and possess.
I could never work out what it was in me

that disquieted you, made of you a hunter.
Minutes after making love, your behaviour
would be so ordinary, everyday I nearly
burst out laughing at the amazing difference
between what we did and what followed after.
I made the necessary offering, and placed

my trust in you. Rather than neglect me,
cast me aside in search of further conquests,
it was as if that allowed you to calm down,
as if the puzzle bothered you no longer,
your insecurity got dissipated.
Last night, in the restaurant, the place

in front of me unoccupied, I thought
from time to time about what you might say
in given circumstances, what your advice
would be, what would make you smile
and your eyes sparkle. Also about things
that would trouble or pain me, but for you

would be simple and straightforward –
like returning a rented car, or else
travelling to an airport or a station,

air neo mùnadh, no sèideadh a shròine.
Aig an aon àm, co-dhiù, dh'iarr tu ormsa

mo libhrigeadh, mo thabhairt suas gu buileach,
mo dhòrtadh, dh'fhaodadh a ràdh, gu h-iomlan annad
gus an d' fhuair an toimhseachan mu dheireadh
fuasgladh a bha comasach air d' ionndrainn
ri glacadh 's sealbhadaireachd a chiùineadh.
Cha bhithinn riamh air nochdadh dè an rud

annam a chuir fo imcheist thu, nad shealgair.
Mionaid no dhà an dèidh a' ghaoil, 's do ghiùlan
gnàthasach, làitheil, theab mi gàireachdaich
bhon a bha sgarachdainn cho iongantach
eadar na rinneadh leinn 's na lean 'na dhèidh.
Rinn mi an ìobairt fhreagarrach, is chuir mi

m' earbsa annad. 'N àit' a bhith gam dhearmad,
mo thilgeil às, 's tu sireadh bhuaidhean ùra,
bhiodh tu mar gum b' ann gad shàsachadh,
sgur an toimhseachan de bhith 'na thrioblaid,
chuireadh do neo-theàrainteachd mu sgaoil.
A-raoir, anns an taigh-bìdh, bha 'n àite romham

falamh, ach mise smaointinn uair 's a-rithist
dè theireadh tu ann an suidheachadh àraidh,
dè 'n comhairl' a thugadh tu dhomh, dè na thoireadh
gàire ri do bheul, boillsg' ri do shùilean.
Cuideachd air gach cùis a chuireadh mise
fo imcheist no àmhghar, 's i air do shon

sìmplidh, furasta – mar nuair a dh'fheumar
càr 's e air mhàl a thoirt air ais don t-sealbhair,
air neo bhith dol do phort-adhair no stèisean,

93

when I always worry about the timing
or how heavy the luggage is. And about
the things you would leave up to me,

peaceful and trusting, in a way
I nearly found scandalous, because
in my family that was forbidden.
Their policy was, anyone making
themselves so vulnerable had to be
wounded at once, and all his illusions

punctured and destroyed. If I failed
to follow their commands dealing with you,
that was because I already understood
that the parents I got weren't my real
parents. I was a changeling
who had to learn a new language

and invent or discover new behaviours
if he was to find a way through the world.
But we never met. Did I need more time
so as to learn that language
competently? To master it?
Did I idealise you overmuch?

Make of you an idol, a mere concept?
What prevented me from identifying you
in any man in this sublunar realm?
And nonetheless, my loneliness is not
totally unbearable or unrelieved –
time and again you and I are together.

's mi daonnan a' gabhail dragha mun chlàr-ama,
no truime na lòdraich'. A bharrachd air sin,
ciod iad na cuspairean a dh'fhàgadh tu

'nam làmhan, le làn-chreideas shìochail, 's sin
ach beag 'na adhbhar sgainneal 'na mo shùilean
bhon a bha e toirmisgte 'nam theaghlach.
A rèir a theagaisg, b' fheudar neach a rinn
e fhèin so-leònta gus an ìre sin
gonadh air ball, b' fheudar fhaoin-smuaintean uile

a mhilleadh is a sgapadh. Mura lean mi
an àitheantan-san 's mi dèiligeadh riut,
bha sinn a chionn 's gun do thuig mi air ball
nach do cheadaicheadh rium mo phàrantan
fìor, gur ann 'nam thàcharan a bha mi
as eudar cànan eile ionnsachadh

is dòighean ùra innleachdadh no nochdadh
mus faigh e slighe iomchaidh anns an t-saoghal.
Ach cha do choinnich sinn a-riamh. An robh
barrachd ùine feumail gus an cànan ud
ionnsachadh air dòigh choileanta, abalt'?
No 'n robh a' bheachd a bh' agam mu do dheidhinn

ro bharrail? An d' rinn mi ìodhal, sàr-bheachd dhiot?
Dè bha gam bhacadh, 's mi gun d' aithneachadh
am fìreannach den t-saoghal seo a-bhos?
Co-dhiù, chan eil an aonranachd a th' agam
dìreach do-iomchar air neo leanmhainneach –
bidh sinn còmhla ri chèile iomadh uair.

III

III

Café Zvezda

There is the table where we sat, next to
the big window through which you can see
people walking down the capital's
main street, buses and bicycles. Two years
have elapsed since our last meeting.
I feel as if she were still present here
in the middle of the nearly empty café.
The students whom she taught the art of painting,
its secrets and ways, today are scattered
throughout the world, and she is among those
who will never return. What can explain
the magic that her person still emits,
the inexplicable perfection of her image?

CAFÉ ZVEZDA

Bha sinn nar suidhe aig a' bhòrd ri taobh
na h-uinneige trom faicear daoin' a' coiseachd
gu socrach air àrd-shràid a' cheanna-bhaile,
busaichean is rothairean. 'S dà bhliadhna
air dol seachad o 'r coinneamh deireannach,
tha mi faireachdainn gu bheil i faisg orm
ann am meadhan a' chafaidh cha mhòr fhalaimh.
Na h-oileanaich ris an do dh'ionnsaich i
sgilean na peantaireachd, gach dòigh 's gach diamhair,
tha iad sgapt' a-nis air feadh an t-saoghail
's i buntainn don fheadhainn nach tig air ais.
Cò dam b' urrainn an draoidheachd a shruitheas
fhathast bho pearsantachd, no grinneas seasmhach
a h-ìomhaigh maireannaich a mhìneachadh?

However plentifully the ideas arrive
I can hear – with an ear that doesn't collect
news of this world, but news
of a more unusual kind,
subtle and inventive inspirations –
a violently critical voice bursting in:

"Abandon your efforts! Nobody
is waiting for your talk or for your message!
Don't waste one minute more of your time
assembling verses that awaken no
interest or sympathy among the people
you might expect to form your audience.

"Besides which, the language you are using
isn't your mother tongue. In your childhood,
when the most essential impressions
are gathered, you had another on your lips.
Your grip on this abandoned speech
is merely stuttering and insecure."

However reasonable and founded every
argument that voice puts forward,
even though I have no words to defend
or justify my plenitude of speech,
the ideas keep arriving. Neither my pride
nor my weakness can resist their magic.

Air cho pailteil 's a thig na nòiseanan,
bidh mi a' cluinntinn – le cluas nach cruinnich
naidheachdan an t-saoghail seo a-bhos
ach spreigidhean de ghnè nas neònaiche,
deachdadh sèamhaidh is geur-innleachdach –
guth fòirneartach a' sìor bhrùchdadh a-steach:

"Sguir de do dhìchill! Chan eil neach sam bith
a' fantainn ri do chainnt no d' theachdaireachd!
Na caith mionaid a-bharrachd de do thìde,
's tu cur ri chèile ranntan nach dùisg ùidh
air neo co-fhaireachdainn a-measg nan daoine
a bhiodh tu 'n dùil gun leughadh iad na sgrìobh thu.

"A bharrachd air sin, chan eil thu a' cleachdadh
do chainnt màthaireil. Is tu nad leanabh,
nuair a thèid gach mothachadh as brìghmhoir'
a thrusadh, bha cainnt eil' ag àiteachadh
do bhilean, is an grèim a th' agad air
an tè dhearmaidte seo neo-cunbhalach."

Ach ged a tha gach argamaid a chluinnear
bhuaithse ro chiallach is ro dhearbhaichte,
ged nach lorg mi facal dìon no leisgeil
a dh'fhìrinnicheas tuileachadh mo bhriathran,
bidh na nòiseanan gam ruighinn fhathast
's cha sheas mo dhìblidheachd no m' uaill rin seun.

If I were capable of conjuring
up streams of words the way I used to do
when I was like a student who recently
joined the group, whose voice has not been heard,
so no one can predict what they will say –
they themselves may not know what they think! –

or their opinions, all words being new…
Yet one word summons the next one up. Preparing
to set out on the foolish enterprise
of once more making poems, I recall
all the lines I've written before now,
as if they were waiting to be backed up

and vindicated, their magic extended,
just as somebody writing a novel
who so far has produced two hundred pages
needs to recall his characters' lives and names
so he can steer clear of contradictions
when the knot finally gets untied.

Nan robh mi 'g innleachadh sreathan de dh'fhaclan
mar a rinneadh leam o thùs, 's mi coltach
ri oileanach nach do nochd anns a' chòmhlan
ach o chionn ghoirid, guth aige nach robh
duin' a' cluinntinn fhathast, gun seòl ann
air fàisneachadh na tha e dol ag ràdh,

gun fhios math dh'fhaodt' ann aige fhèin dè tha
e smaoineachadh no beachdachadh, 's gach briathar
a chruthaicheas a bhilean gun ro-shampall…
A-nis, 's mi ga mo dheasachadh uair eile
ris an oidhirp ghabhdaich, bidh cuimhn' agam
air gach rann a sgrìobh mi gus an seo,

ionndrainn aig gach fear air daingneachadh,
fìrinneachadh a mheudaicheas an cumhachd,
dìreach mar a dh'fheumas nobhailich'
ainmean 's feartan nam pears' a chuimhneachadh
los nach bi contrarrachd no mì-chordadh
a' milleadh fuasgladh snaidhmean toinnt' na sgeulachd.

This kinship I experience towards young people,
as if I had the possibility
of starting over again, as if I had
uncovered all the necessary secrets
and knew at last the right way to behave,
how the strands of life are to be guided
and set in order – could it just be madness?
The onset of delirium with old age?
One further sign that death is drawing near?

An cleamhnas seo a tha mi faireachdainn
ris an òigridh, mar gum b' urrainn dhomh
an gnothach uil' ath-thòiseachadh uair eile,
fiosraichte mu gach diamhair riatanach,
a' tuigsinn mar a bu chòir dhuinn bhith beò,
snàthainnean ar beathannan a chumail
òrdaichte 's a riaghladh – an e boile
th' ann an sin? No mearan aosmhorachd?
No comharradh a-mhàin air faisg' a' bhàis?

Might she look with greater kindness
on what you are going to write in these
closing years, which you never believed
would be conceded you? Her judgement

long ago, when you could have been
expected to cooperate, being friends,
was harsh in the extreme, as though your poems
were blasphemous, an offence to decency.

Nonetheless your paradoxical
fidelity should reassure you, seeing
it has lasted since the night she heard
your very first poems, and seemed to approve them.

An ann le barrachd caoimhneis a bhiodh i
a' sealltainn air na deachdar leat san ùine
dheireannaich seo, nach robh thu a' creidsinn
gun rachadh a ceadachadh dhut? Is dùil ann

bliadhnaichean air ais gur ann a' co-
obrachadh, a' brosnachadh a chèile
a bhiodh sibh, bha a binn garg, mar gur oilbheum,
ciùrradh na coibhseachd 's na bòidhch' a choilean thu.

Bu chòir dhut misneachadh fhaighinn co-dhiù,
oir sheas do dhìlse fhriotharach, dà-sheaghach
bhon oidhch' a dh'èist i ri do ranntan tràthail
is coltas oirre gun do chòrd iad rithe.

Was no one capable of seeing,
beyond your busy-ness, which you imagined
to be so convincing, masterly
the fearful child occupied in pulling
the strings of the puppets who stood in for you,
how his shaking hands rendered the wooden
bodies' movements jerky, constantly
betraying the intensity that shook him?

Taobh thall an dèanadais a bha thu creidsinn
cho drùidhteach, ealanta is maighstireil
an d' dh'fhairtlich air a h-uile duin' an leanabh
eagalach fhaicinn, a bha stiùireadh sreangan
nam pupaidean a ghabhadh d' àite fhèin,
criothnachadh a làmhan clis a' cur
briosgaidh am mosglaidhean nam bodhaig fhiodha
a bha sìor-bhrathadh dèin' a thriobualaidh?

One artist after another
shows us himself standing
proud and firm in front of the easel,
holding a brush, looking out

confident and assured at the spectator.
Where did they get the confident certainty
that whatever they were about to paint
mattered, and deserved the world's attention?

I could say that all I hoped for was
to elude any kind of notice, to
escape without arousing anybody's
interest – my art was a secret game

which I played with no one but myself,
like words traced on the surface of a pool
vanishing as soon as they get written –
had they not been solid, durable,

a game, yet so resonant and echoing
they could have been cast in bronze – even if
nobody will observe me looking out,
assured and eloquent, from a self-portrait.

Ealantair a' leantainn ealantair
a rinn iad fhèin a dhealbhadh 'nan seasamh
stòlda, stràiceil fa chomhair dealbh-thaic,
bruis 'nan làmhan, agus iad a' coimhead

gu h-arrant', cunbhalach air an luchd-amhairc.
Cia às a nochd a' chinnteachd, an làn-earbsa
gu robh na bha iad a' dol a dhealbhadh
cudromach 's a' toiltinn air' an t-saoghail?

Dh'fhaodainn-sa ràdh nach robh mi 'g iarraidh ach
gach uile mothachadh a sheachnadh buileach,
teicheadh às gun ùidh a dhusgadh ann
an neach sam bith, an ealain 'na cluich cheilte,

geam' a-mhàin nach cleachdainn ach leam fhìn,
mar fhaclan comharraicht' air uachdar linne
de nach mair athailt mòmaid às dèidh –
mura biodh sìorraidheachd shòlaimt' na h-iomairt,

seirm, ath-sheirm, ath-fhuaimneachd aig mo bhriathran
mar gun deach am mòlltachadh san umha –
ged nach coinnich amharcaich ri m' shealladh
dealbhaicht' air canabhas gu labhrach, pròiseil.

111

I would rather not have been begotten
by any seed emerging from the body

of a man located in the world
but by a droplet falling from an ancient

constellation, one of many planets
travelling through the darkness that's their home.

Perhaps the tear of a star that knows too well
the chaos and injustice of human doings,

or a drop of sweat, as it struggled hard
to spread its brightness through the universe.

B' fheàrr leam nan robh mi air mo ghineamhainn
chan ann le sìol a steall bho cholainn duine

bha 'g àiteachadh an t-saoghail seo a-bhos
ach le boinn' a' tuiteam bho reul-bhuidhinn

àrsaidh measg nam planaidean a shiubhlas
tron dorchadas a tha 'na dhachaigh aca,

math dh'fhaodt' le deur rèil a tha fiosraichte
mu ùpraid 's euceartas nan gnìomhan daonna,

no boinne fallais, 's i cur làn a dìchill
an oidhirp soillseachadh a' chruinne-cè.

I don't know even as much about my forebears
as would fill half a page with names and dates.

A decade ago, while visiting Ulster,
searching out places and districts linked to them,

it occurred to me they would not welcome me
were we ever to meet face to face,

for them my habits and my way of life
would be utter blasphemy, God's laws

turned upside down. Should that be the case,
I would do well to respond to their curse

with a resounding curse from my own lips
across the centuries separating us.

Gun uimhir a dh'fhios agam mum shinnsirean
's a lìonadh leth-dhuilleag ainmean is cinn-latha,

deichead air ais, air turas ann an Uladh,
shir mi na h-àiteannan ceangailte riutha,

a' smaointinn air na chuireadh iad de dh'fhàilt' orm
nam faigheamaid cothrom air coinneachadh.

Chan fhaiceadh iad 'nam dhòighean is 'nam chàil
ach nàire 's toibheum, ach laghannan Dè

gan sìor chur bun os cionn. Ma tha sin fìor,
bu chòir dhomh freagairt ri am mallachd-san

le mallachd bheumaich air mo bhilean fhìn,
trast' air gach linn a tha gar sgarachdainn.

Getting older and older, I feel like someone
the top of whose skull touches the roof of the house –
he cannot afford to grow one inch further –
no space is left he can get taller in.

But perhaps the true difficulty is,
my memory has reached its furthest limit,
so many things that happened are already
heaped upon one another in my head

no new information can be added.
Does that imply the faint, intricate traces
they leave behind are no less significant
than the lives we actually lead?

Fhad 's a dh'fhàsas mi nas sine, tha mi
mar chudeigin a bheanas bàrr a chlaiginn
ri mullach taigh, nach cinn òirleach a bharrachd
is àit' a dh'easbhaidh air gus cur ri àirde.

No math dh'fhaodt' gur e 'n deuchainn fhìor a th' agam
gun d' nochd mi crìoch mo chomas cuimhneachaidh,
uimhir de dh'ainmean is tachartasan
gan càrnadh suas 'nam eanchainn thruaghanta

's nach urrainnear tuilleadh stuth' a chur riutha.
'M bi sin a' ciallachadh gu bheil an t-aon
luach aig an t-athailt dhaor, chaiste a dh'fhàgar
'nan dèidh 's a bhios aig ar beathannan fhìn?

It's so frustrating that I cannot write
the concise poems I'm so often asked for!
But I'd resemble a painter whose brush,
brilliant and gleaming with the load it bears,

won't allow anything but scattered smudges
to dapple the canvas that's in front of him,
so miserly in his movements not a single
eloquent, full stroke can reach the expectant

whiteness hoping for colours to enliven it.
Or like someone carving a piece of wood,
hacking, notching, chipping away until
no trace remains of the delightful figure

he had invented. Merely shattered fragments
around him and a lonely, wretched stump.
With the love I have for each word in the language,
brevity in my case would be a crime!

Mo chreach-sa gun do dh'fhairtlich orm an sgrìobhadh,
na dàintean goirid a dh'iarr iad orm cho tric!
Ach bhithinn-sa mar pheantair is a bhruis
trom, lannrach leis na chuireadh oirr' de luchd

a cheadaicheas ri spotan sgapt' a-mhàin
an canabhas geal a bhallachadh an siud
's an seo, cho sanntach anns a' ghnìomh 's nach ruig
stràc àrd-labhrach a' ghile fhiughaireach

aig a bha dùil fàs beòthaicht', iomadhathte –
no snaidheadair 's e trang le pìos de dh'fhiodha
a' sgathadh, 'g eagachadh, a' cabadh gus
nach fhàgar lorg den dreach dhaor, mhiannaichte

a dh'innlich e. Chan fhaicear ann ach bloighean
briste, bearraidhean truaghanta, dìblidh.
'S a leithid de mhùirn agam ris gach facal
na teangaidh seo, bhiodh a' ghiorraid 'na h-eucoir!

FROM THE AUTHOR

Having toiled away for years at strict metres with rigid syllable counts, it was a relief but also a challenge to write in extended verse paragraphs rather than stanzas, even if from time to time the familiar pentameters kept creeping in. The Gaelic word "searmon" clearly relates to English "sermon", though here the meaning I gave it was closer to the Latin "sermo" – relaxed, low level chatting or conversation. So the title could be paraphrased either as "the way I talk" or "what I have to say", with an ambivalence about subject matter or the manner of putting it across that suited me. In each paragraph I could come up with a different comparison and, as there was no clear logical sequence between the paragraphs, the form was "aleatoric", not unlike a pack of cards which, each time they are shuffled, reappear in a different order. And nonetheless the basic connecting idea provided a degree of unity. There was room for a satirical vein towards which I have always been attracted, also for some enjoyable digs at the Presbyterian church, perhaps acceptable from one who so pitilessly pilloried Catholic foolishness in his first novel. "What I Have to Say" was written in summer 2017 and concluded in the Slovene Kras, high-lying countryside to the north of Trieste where I was the guest of two dear friends who almost certainly fail to realise how vital the surroundings they provided have been in stimulating my creative work over the last five years.

'Café Zvezda' is a muted tribute to the Slovenian painter Metka Krašovec (1941-2018), who was good enough to count me among her friends in the final years when she battled with cancer and then succumbed. 'The Evil in His Eyes' concerns a figure from the not so distant past who has not ceased to haunt me. *De mortuis nil nisi…* But perhaps what matters most is to speak the truth about the dead. The poem about the star ('I would rather not have been begotten') was prompted by revulsion towards my own father, in view of his unpunished crimes, and the impossibility of denying that I am in fact his and no one else's son, given the striking physical resemblance between me, him and my broth-

FACAL BHON ÙGHDAR

An dèidh dhomh saothrachadh fad bhliadhnaichean le ranntan riaghailte is cunntas mionaideach nan lidean, b' e faothachadh ach dùbhlan cuideachd a bh' ann 's mi sgrìobhadh pharagrafaichean sìnte, farsaing, ged a bhiodh na loidhnichean àbhaisteach de dheich lidean a' nochdadh a-rithist bho àm gu àm. Tha am facal Gàidhlig "searmon" glè fhaisg ris an fhacal "sermon" sa Bheurla, ach b' e "an dòigh sa bheil mi a' bruidhinn" no "na th' agam ri ràdh" a' chiall a bha mi toirt dha, rudeigin mar san Laidinn, far an comharraich e cnacaireachd, no còmhradh fuasgailte. Chòrd rium an dà-sheaghachas eadar na cuspairean agus mar a bhios duine gan cur an cèill. Anns gach paragraf bha mi a' tairgse samhlaidh ùir, agus a chionn 's nach robh ceangal loidigeach ann eadar aon tè is an tè a lean, fhuair an dàn cruth caochlaideach, mar phaca-chairtean a bhios a' nochdadh ann an òrdugh diofaraichte gach uair a thèid am measgadh. Bha an nòisean bunaiteach a' solaireadh aonachd is cothàthaidh co-dhiù don cho-chur uile. Bha àite ann airson nan aoir a bha gam thàladh daonnan, le ionnsaigh chur-seachadaich no dhà an aghaidh na h-Eaglaise Chlèirich nach bi, tha mi an dòchas, a' coimhead eas-urramach bho sgrìobhadair a bha a' càineadh gun tròcair amaideas nan Caitligeach sa chiad nobhail a chuir e sa chlò. Chaidh "Mo Shearmon" a sgrìobhadh anns an t-samhradh 2017, agus chrìochnaich mi an dàn anns an Kras Slobhaineach, frithean àrda faisg ris an oirthir is Trieste, 's mi còmhla ri dithis chàirdean gràdhaichte aig nach eil, tha mi creidsinn, fios na fàth cho cudromach 's a tha an aoigheachd a thug iad dhomh air a bhith airson m' obair-chruthachaidh sna còig bliadhna mu dheireadh.

'S e ùmlachd mhùchta don pheantair Slobhaineach Metka Krašovec (1941-2018) a th' ann an 'Café Zvezda', a bha cho fialaidh 's gun do chuir i mi a-steach gu còmhlan a càirdean sna bliadhnaichean mun do chaochail i às dèidh strì cruaidh leis an aillse. Tha 'An t-Olc 'na Shùilean' a' dèiligeadh ri cuideigin bhon àm chan fhada air falbh nach do sguir de bhith gam bhuaireadh is gam thathaich. *De mortuis nil nisi…* Ach tha e nas cudromaich', math dh'fhaodte, nach can duine ach an fhìrinn uile

ers. 'Dhutsa' is almost too revelatory a poem about the couple relationship I always imagined I wanted, which has so resolutely eluded me throughout my life.

mun chuid a tha marbh. Bha an dèisinn a dhùisg m' athair annam 'na spreigeadh gu 'B' fheàrr leam nach robh mi air mo ghineamhainn', gach eucoir a rinn e nach deach riamh a pheanasachadh, agus nach b' urrainn dhomh breugnachadh gur m' athair fhìn a bh' ann, is coltas do-àicheanta agam, aige is aig mo bhràithrean. 'S e dàn is dòcha ro fhosgailte a th' ann an 'Dhutsa', a bhruidhneas mun cheangal dhlùth-chaidreach a chreid mi riamh gu robh mi sireadh, ach a rinn mo sheachnadh gu dùrachdach air fad mo bheatha.